BYW BYWYD BWYD ANT

Cyhoeddwyd yn 2012 gan Wasg Gomer,
Llandysul, Ceredigion SA44 4JL
www.gomer.co.uk

ISBN 978 1 84851 567 3

Dylunydd: Rebecca Davies, mopublications
Darluniau: Anthony Evans a Raul Rucarean

Dymuna'r cyhoeddwyr gydnabod cymorth Cyngor Llyfrau Cymru.

Argraffwyd a rhwymwyd yng Nghymru gan Wasg Gomer, Llandysul, Ceredigion.

BYW BYWYD BWYD ANT

Anthony Evans

CYFLWYNIAD

Mae'r llyfr hwn yn rhoi cyfle i bawb o bob oed fod yn gogydd proffesiynol ar hyd y flwyddyn a chreu bwydydd arbennig ar gyfer bob achlysur.

Mae hwn yn llyfr i BAWB – rhai sy'n gallu coginio, ac i chi sy'n hollol ANOBEITHIOL yn y gegin!

Felly, os 'ych chi'n pendroni beth i'w gael i frecwast, cinio neu swper heno ac yna'n penderfynu eich bod chi eisiau pizza pepperoni heb y pepperoni,dyma rai syniadau i'ch helpu i greu danteithion drwy gydol y flwyddyn heb unrhyw ffỳs na ffwdan!

Mae gan bob rysáit stori wahanol, ac erbyn diwedd y llyfr hwn, mi fyddwch chi'n gallu coginio a'ch llygaid ar gau! Byddwch hefyd yn gallu byw bywyd llawer mwy iachus gan arbed ceiniog neu ddwy trwy ddyfeisio eich ryseitiau eich hunain.

Fel cogydd proffesiynol, dwi wedi teithio tipyn ac wedi gweithio yn rhai o fwytai mwyaf moethus a diddorol y byd. Dyma'ch cyfle chi i rannu rhai o'r profiadau hynny, gan ddysgu tipyn bach mwy am fwyd o bob gwlad.

Gobeithio y gwnewch chi fwynhau, ac yn y pendraw, y byddwch chi'n

BYW BYWYD BWYD ANT!

Bant â ni, 'te!

Ant

CYNNWYS

Lynette, fy chwaer, yn wên o glust i glust cyn i mi ddechrau arbrofi ar fwyd!

DYDDIAU CYNNAR

Dechreuodd fy niddordeb yn y byd coginio pan o'n i'n ifanc iawn. Ro'n i wrth fy modd yn chwarae gêmau bwyd gyda Lynette, fy chwaer. Doedd dim yn well gen i na thaflu cymysgedd o'r bwydydd rhyfeddaf i mewn i bowlen a'i herio hi i'w fwyta ar ôl i mi orffen. Doedd dim dal pa gynhwysion fyddai'n cael eu defnyddio – rhai'n afiach a'r lleill yn fendigedig. Cefais oriau o sbort a sbri yn gwylio Lynette, druan, yn dioddef wrth wynebu'r heriau hyn! Does dim dwywaith mai'r holl chwarae o gwmpas yma gyda bwyd oedd gwreiddiau cynnar dysgu am goginio.

Tipyn o Gawl

Roedd Dydd Gŵyl Dewi yn ddiwrnod pwysig iawn yn ein calendr bwyd ni fel teulu pan o'n i'n fachgen, oherwydd byddai Mam a Mam-gu bob amser yn paratoi cawl. Am ryw reswm ro'n i wrth fy modd yn bwyta cawl Mam-gu, ond nid un Mam.

Ro'n i hefyd yn meddwl mai bwyd o'n i weithiau, fel mae'r llun hwn ohona i fel pot iogwrt yng ngharnifal y Tymbl yn ei ddangos!

Un flwyddyn, fe benderfynodd y ddwy chwarae tric arna i. Dyma Mam yn rhoi llond powlen o gawl o 'mlaen i a'm chwaer, ond heb yn wybod i mi, cawl Mam-gu oedd ganddi. Yn ôl fy arfer, dyma fi'n codi 'nhrwyn ar y cawl yn syth, cyn i Mam gyhoeddi y gwir mai cawl Mam-gu oedd e.

Yn naturiol, do'n i ddim yn hapus iawn mod i wedi cael fy nhwyllo, felly roedd rhaid dial. Tra bod cefnau Lynette a Mam wedi eu troi, fe lwyddais i arllwys tipyn bach o sebon golchi llestri i mewn i'r sosban gawl ac i bowlen fy chwaer. Pan ddechreuodd hi fwyta'i chawl, dyma hi'n dechrau cwyno'n syth.

'Ych a fi!..Sebon!'

'Bwyta dy gawl neu gwely cynnar fydd hi,' dwrdiodd Mam, wrth i minnau fwyta 'nghawl yn awchus.

A do wir, fe fwytaodd Lynette y cawl ych a fi…cyn chwydu dros y carped i gyd!

Chefais i ddim mynd mas am wythnos gyfan ar ôl y drygioni hwnnw a bu Lynette yn sâl am dri diwrnod wedi bwyta'r cawl llawn swigod sebon! O diar!

Cowbois gwyllt Gorslas ar Ddydd Gŵyl Dewi

Awyr iach

Allan yn yr awyr agored mae bwyd yn blasu ar ei orau, medden nhw. Dyna pam mae'r atgof am fwyta o gwmpas y tân ar wyliau gwersylla gyda theulu a ffrindiau ar lan y môr yn Aberporth pan o'n i'n blentyn yn aros mor glir yn y cof. Weithiau fe fydden ni'n mynd allan ar y môr fel criw i bysgota am fecryll ac yna'n coginio gwledd i swper.

Byddai siarad am fwyd yn rhan naturiol o'r sgwrs o gwmpas y tân yn Aberporth, gan mai un o'r cwmni oedd John y Bwtsiwr o Gross Hands. Fel bachgen yn fy arddegau, cefais gyfle i weithio am gyfnod yn ei siop arbennig gan ddysgu llawer am gig a bwyd. Fel hen ffrind, dwi'n dibynnu tipyn ar gynnyrch amrywiol a bendigedig ei siop nawr fel cogydd.

Ai dyma'r siop cigydd orau yng Nghymru tybed?

Gan bwyll bach nawr, chi'ch dau! Gwyliwch rhag môr-ladron Cwmtydu!

A phwy yw'r crwt bach swil ar gôl Mam, 'te?

Rhywbeth bach blasus i swper

A phwy yw'r crwt bach pert hwn 'te?
John y Bwtsiwr
'Stop! Lleidr!' Ydy til pob cigydd mor drwm 'te?

Am gar bach coch smart!

Blas ar fwyd

Yn wahanol i nifer o fechgyn fy oedran i, ro'n i wrth fy modd yn y gwersi arlwyo a choginio yn Ysgol Gyfun Maes yr Yrfa. Dyma lle y datblygodd fy niddordeb mewn bwyd o ddifri, cyn i mi symud ymlaen i goleg arlwyo Pibwrlwyd yng Nghaerfyrddin i barhau â 'ngyrfa.

Bant â'r car

Roedd pasio 'mhrawf gyrru yn dipyn o garreg filltir i mi, gan olygu y gallwn nawr grwydro Cymru'n pysgota fel y mynnwn i.

Roedd cael benthyg Landrover Graham, perchennog cwmni bysus enwog Gwyn Williams, er mwyn mynd allan i bysgota, hefyd yn dipyn o hwyl. Dyna i chi gerbyd oedd yn llyncu petrol ond byth yn mynd yn sownd yn y mwd!

Gwanwyn

TIP TOP!
Dylai'r llyrlys fod yn wyrdd tywyll o ran lliw ac yn gadarn o ran teimlad – nid yn llipa a meddal!

Fel cogydd, dwi wrth fy modd â thymor y gwanwyn. Mae popeth mor ffres a newydd. Mae'r tymor hefyd yn symbol o ddechrau newydd yn ein bywyd bwyd, gan mai dyma'r adeg i ddechrau plannu tatws, moron a phob math o lysiau eraill yn yr ardd. Dyma'r amser hefyd i groesawu bwydydd newydd i mewn i'r gadwyn fwyd, yn arbennig felly cig oen Cymru.

Mae cig oen Cymru'n fyd-enwog am ei flas naturiol, unigryw. Mae a wnelo'r blas hwnnw â'r tir lle mae'r ŵyn yn cael eu magu, boed hynny ar y mynyddoedd neu ar diroedd heli gwlyb glan môr mewn ardaloedd fel Môn a'r Gŵyr. Dwi'n dwli ar gig oen morfa heli, sy'n gig melys gan fod yr ŵyn yn cael eu magu ar lan y môr ac yn bwyta planhigion gwyllt fel y llyrlys *(samphire)*.

Nawr, mae'r llyrlys yn blanhigyn bach defnyddiol iawn sy'n cael ei gynnwys mewn ryseitiau cig oen, neu hyd yn oed sewin gwyllt o'r afon. Yn y gwanwyn mae hwn ar ei orau o safbwynt blas a lliw. Mae hyn yn wir hefyd am nifer o blanhigion a llysiau gwyllt eraill, gan gynnwys garlleg. Dyma blanhigyn arall sy'n fendigedig i'w fwyta'n amrwd neu wedi ei goginio, ac mae'n un o'm hoff gynhwysion i wrth goginio.

Blodyn garlleg gwyllt

'Mmmm! Cig oen!'

TIP TOP!
Gall llyrlys gael ei weini hefyd gyda physgod, yn enwedig eog!

Cig Oen Heb Boen Gyda Llyrlys Crensiog

1 coes oen morfa heli *(salt marsh lamb)*
1 winwnsyn wedi ei falu
1 ewin garlleg wedi ei falu
1 bwnshyn o lyrlys
Croen un lemwn cyfan
1 taten wedi ei phlicio a'i thorri'n ddarnau
10 madarchen fach (*button mushrooms*) wedi eu sleisio
1 peint o stoc cig oen
6 owns (150g) o fenyn
1 bwnshyn o rosmari
Halen a phupur i roi blas

Dull

* Gan ddefnyddio tun addas ar gyfer y ffwrn, gosodwch y goes cig oen ar wely o datws, garlleg a hanner y winwns. Ychwanegwch ychydig o halen a phupur.
* Cynheswch y ffwrn i 200°C, marc nwy 6.
* Toddwch hanner y menyn mewn sosban a'i gynhesu nes ei fod yn boeth.
* Arllwyswch y menyn dros y cig oen gan ei orchuddio er mwyn ei selio.
* Rhowch y tun ar silff ganol y ffwrn a'i goginio am 20 munud.
* Ar ôl 20 munud, tynnwch y tun allan o'r ffwrn a chodwch ychydig o sudd o'r gwaelod dros y cig.
* Ychwanegwch y stoc i'r tun gan ei arllwys dros y cynhwysion i gyd. Nawr ychwanegwch y rosmari a gorchuddiwch y tun â ffoil.
* Rhowch y tun 'nôl yn y ffwrn.
* Daliwch ati i godi sudd dros y cig bob 20 munud i'w atal rhag sychu. Coginiwch nes bod tu mewn y cig yn binc a gadewch am ryw 10 munud cyn gweini.
* Mwynhewch!

Llyrlys Crensiog

* Golwchwch y llyrlys dan ddŵr oer er mwyn cael gwared ag unrhyw ro mân.
* Rhowch weddill y menyn, ychydig bach o arlleg, y madarch, y croen lemwn a'r winwns mewn padell ffrio.
* Ffrïwch y cyfan nes yn euraidd.
* Ychwanegwch y llyrlys.
* Ffrïwch bopeth am 2 funud arall neu nes bod y llyrlys yn grensiog, ond heb ei orgoginio.
* Mwynhewch!

Coco Jambo

Glywsoch chi erioed sôn am Coco Jambo o Ynys Afallon Efallai? Wel, un o gymeriadau taith *Cler Hudol a'r Bwyd Symudol* Cwmni Theatr Arad Goch oedd hwnnw, ac fe gefais i'r pleser o chwarae'r cymeriad ar y daith. Allech chi ddweud fod y rôl honno wedi dod yn ddigon naturiol i mi, gan mai ymwneud â bwyta bwydydd gwyllt, neu'r hyn sy'n cael ei adnabod fel 'bushtucker', oedd y sioe. Ond y pleser mwyaf oedd cael gorfodi fy nghyd-actor, Alun Williams, i fwyta rhai o'r seigiau mwyaf ych a fi erioed!

Cofiwch, does dim byd ych a fi am y rysáit nesaf!

Mae cofio'r sgript ar stumog wag yn waith caled!

Cyw Iâr Coco Jambo

2 lwy fwrdd o olew olewydd
1 winwnsyn wedi ei sleisio
1 pupur coch wedi ei sleisio
¼ llwy de o baprica
¼ llwy de o dyrmerig
½ llwy de o sinsir mân
4 pinsiaid o bupur cayenne
4 brest cyw iâr heb y croen, wedi eu torri'n giwbiau
8 owns (200g) o reis basmati
1 peint (450ml) o stoc cyw iâr
Llond llaw o bersli deilen fflat

Dull

* Cynheswch yr olew mewn padell ffrio ddofn.
* Ychwanegwch y paprica, y tyrmerig, y sinsir mân a'r winwnsyn a'i goginio nes ei fod yn feddal.
* Ychwanegwch y cyw iâr a choginio'r cyfan am 5 munud.
* Arllwyswch y reis i'r sosban ac ychwanegwch y stoc cyw iâr.
* Ychwanegwch ychydig o halen a phupur yn ôl y galw.
* Cymysgwch a berwch yn ysgafn.
* Gorchuddiwch y sosban am 15-20 munud neu nes i'r reis feddalu.
* Ychwanegwch y persli a gweinwch yn syth.
* Mwynhewch!

TIP TOP!
Gellwch ychwanegu darnau o Quorn yn hytrach na'r cyw iâr ar gyfer llysieuwyr.

Byrger Dyn Gwyllt Gorslas

6 owns (250g) o friwgig (*mincemeat*)
½ winwnsyn
1 wy
Perlysiau sych (*dried herbs*) o'ch dewis chi
Halen a phupur i roi blas

Dull

* Torrwch y winwnsyn yn fân.
* Torrwch yr wy i bowlen gymysgu ac ychwanegwch y briwgig, y winwnsyn, y perlysiau, yr halen a'r pupur.
* Cymysgwch y cyfan â'ch dwylo!
* Ffurfiwch 4 byrger fawr neu 6 byrger fach o'r gymysgedd.
* Cynheswch y gril i wres cymedrol a choginiwch y byrgers am 6 munud bob ochr, neu nes bod y cig wedi coginio drwyddo ac wedi newid ei liw i frown golau ar y tu mewn.
* Gweinwch gyda rhôl o fara meddal ffres.
* Mwynhewch!

TIP TOP!
Gall fod yn gig eidion neu'n helgig, neu gellwch fod yn fwy mentrus drwy ddefnyddio cig gafr os mynnwch chi!

Tarw Garw

Olew ar gyfer ffrio
12 owns (300g) o syrlwyn cig eidion wedi ei dorri'n stribedi tenau a'u rholio mewn 3 llwy fwrdd o flawd corn
4 blodigyn (*floret*) o frocoli
Darn 5cm o sinsir ffres wedi ei dorri'n fân
1 llwy de o chilli sych wedi ei falu
½ bwnshyn o shibwns (*spring onions*) wedi eu torri'n lletraws (*diagonal*)
4 llwy fwrdd o saws soi
5 llwy fwrdd o siwgwr
Sudd 2 leim

TIP TOP!
Byddwch yn ofalus wrth roi'r cig yn yr olew poeth!

Dull

* Cynheswch ddyfnder o 5cm o olew mewn woc nes ei fod yn boeth iawn.
* Ffrïwch y cig eidion bob yn dipyn nes ei fod yn grensiog ac yn dywyll o ran lliw.
* Draeniwch y cig.
* Arllwyswch y rhan fwyaf o'r olew i ffwrdd cyn ffrio'r brocoli, y garlleg, y sinsir a'r chilli am 1 funud.
* Ychwanegwch y saws soi melys a'r sudd leim a choginio'r cyfan am 2 funud.
* Cymysgwch y cig eidion a'r shibwns a gweini'r saig gydag ychydig o reis os dymunwch.
* Mwynhewch!

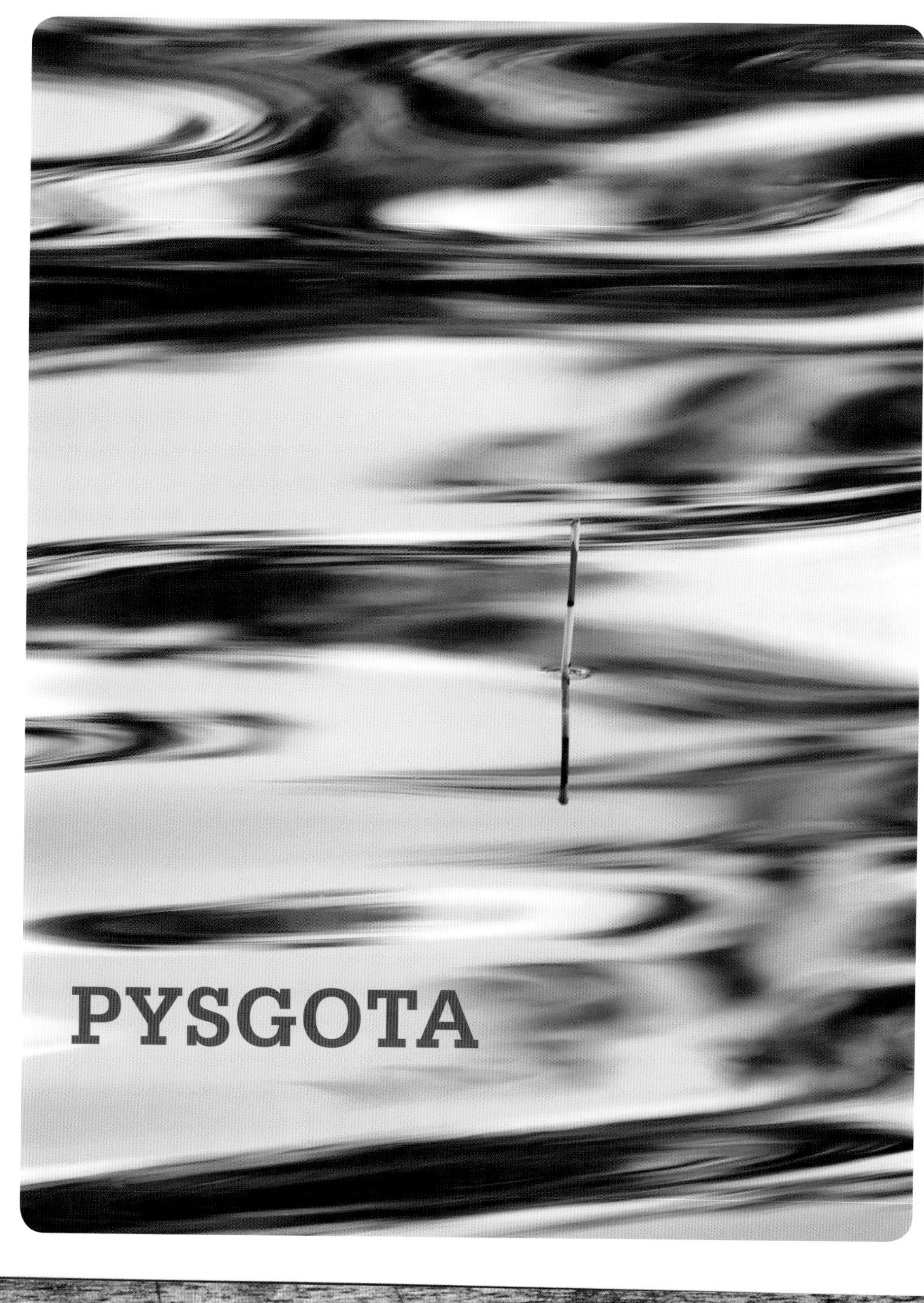

PYSGOTA

Faint ohonoch chi sydd wedi trio pysgota erioed? A faint ohonoch chi sy'n dwlu am fwyta pysgod? Does dim yn well gyda fi na mynd â ngwialen i bysgota ar afon Tywi ger Caerfyrddin am amrywiaeth o bysgod, yn enwedig yr eog a'r sewin. Ac o fod yn ddigon lwcus i ddal pysgodyn, bant â fi nôl i'r gegin i ddechrau coginio! Chewch chi ddim bwyd mwy ffres na iach i'w fwyta!

TIP TOP!
Cofiwch y bydd angen trwydded bysgota arnoch chi cyn ei throi hi am lan yr afon!

Dwi wedi bod yn pysgota ers pan o'n i'n fachgen ifanc, ond wedi cyrraedd fy mhen blwydd yn 17, pasio fy mhrawf gyrru a chael fy nghar cyntaf gan fy rhieni, daeth mynd i bysgota'n haws o lawer. Dyma'r adeg y byddwn i'n pysgota am eog a sewin drwy'r dydd a'r nos ac yn dysgu bod yn gogydd yn y coleg ar yr un pryd.

TIP TOP!
Cyfrinach 1:
Dyma'r man gorau yng Nghymru i ddal pysgod... ond tybed ble?!

TIP TOP!
Cyfrinach 2:
Dwi hefyd wedi trio dysgu Alex Jones sut i bysgota!

Hei ho! Hei Ho! Pysgota heddi 'to!

Stori fach

Un noson niwlog o fis Mehefin, ar ôl diwrnod caled yn coginio yn y coleg, lawr â fi i bysgota plu am sewin yn afon Tywi. Nawr, mae pysgota felly yn gofyn am wisgo sgidiau pysgota, neu *waders*, ac fe ddigwyddodd rhywbeth go annisgwyl i mi y noson honno. A minnau ar fin mynd i mewn i'r afon, ro'n i'n ysu am fynd i'r tŷ bach – ac nid dim ond i basio dŵr! Ond y broblem oedd, doedd dim toiledau! Felly draw â fi i'r clawdd agosaf i wneud fy musnes. Ar ôl gorffen, dyma dynnu'r sgidiau pysgota 'nôl lan cyn dychwelyd i'r afon a dal sewin tua phum pwys.

Erbyn hynny roedd hi'n tynnu am hanner nos a minnau wedi blino'n lân. Doedd dim amdani felly ond mynd i gysgu yn fy sgidiau pysgota ym môn y clawdd tan y bore. A do wir, fe gefais i noson o gwsg bendigedig, nes i mi gael fy neffro gyda'r wawr gan ambell fuwch oedd yn prysur sniffian o 'nghwmpas. Felly 'nôl â fi i'r car yn hanner cysgu a thynnu fy sgidiau

Bois bach, sdim llawer o siâp ar gapten y llong 'ma, oes e?

pysgota i ffwrdd. A dyna pryd y cefais fy nharo gan ddrewdod dychrynllyd a sylweddoli bod 'na stwff brown digon annymunol yn llenwi'r sgidiau pysgota ac yn glynu wrth fy nhrowsus! Ac ar ben y cwbwl, fe wnaeth y beili dŵr ymddangos o rywle hefyd!

'Trwydded bysgota, os gwelwch yn dda,' gofynnodd, gan edrych braidd yn syn arna i.

Estynnais y drwydded o 'mhoced a'i rhoi iddo wrth i'r drewdod lenwi ei drwyn mawr coch. Ar ôl gwneud rhyw ystumiau rhyfedd â'i wyneb, meddai:

'Ym…sdim ots…ga i ei gweld hi 'to…rywbryd!' A bron â thagu, bant â fi am adre yn fy nghar bach coch. Hy! Dwi wedi bod yn ofalus iawn ynglŷn â gwneud fy musnes ers hynny!

Pysgota am eog chum ar afon Vedder yn ardal Chilawack, Canada.

Afon Fraser, Canada.

Afonydd Gwyllt

Fel pysgotwr, dwi wedi cael cyfle i deithio'r byd. Un o'r teithiau mwyaf cofiadwy oedd ymweliad â Chanada i geisio dal un o bysgod dŵr ffres mwya'r byd, sef y stwrsiwn (*sturgeon*). Yng Nghanada, dim ond brodorion y wlad sy'n cael hela'r pysgodyn yma ar gyfer ei wyau a'i gig.

Fe wnes i ddal stwrsiwn mwy o faint na'r un yn y llun yma, ond doedd y llyfr hwn ddim yn ddigon mawr i fedru ei gynnwys! Wir i chi!

Nawr, i'r rhai ohonoch chi sydd heb weld stwrsiwn erioed, mae'n edrych fel rhywbeth allan o'r oes a fu. Mae ganddo bigau trionglog yr holl ffordd i lawr ei gefn a cheg enfawr gyda blew fel morflaidd (*catfish*) o amgylch ei weflau. Bydd yn defnyddio'r blew yma i'w helpu i chwilio am fwyd yn y môr a'r afonydd mwdlyd y bydd yn mudo iddyn nhw i fagu. Gall stwrsiwn dyfu hyd at 9 metr (29 troedfedd) o hyd a gall bwyso hyd at 1,400kg (3,150 pwys). Anferth yw'r unig air i ddisgrifio'r fath bysgodyn!

Ar afon Fraser, British Columbia, y cefais gyfle i gyfarfod â'r bwystfil hwn o bysgodyn. Yn ôl y gyfraith, os digwydd i chi fod yn ddigon medrus i ddal un, mae'n rhaid i chi ei gynnig i frenhines Lloegr gyntaf, gan mai ei physgodyn hi yw e. Mae sôn bod y stwrsiwn wedi ei weld yng Nghymru dros y blynyddoedd – hyd yn oed yn afon Tywi!

Posh iawn!

Wyau'r pysgodyn, sef y cafiâr, yw'r prif fwyd sy'n cael ei gysylltu â'r stwrsiwn. Mae'n ddrud iawn i'w brynu heddiw, er ei fod yn cael ei gysylltu â thlodion Rwsia yn wreiddiol. Serch hynny, mae'n flasus iawn ar gyfer canape. Mae iddo flas hallt a chyda thamaid o eog wedi ei fygu, mae'n ffrwydro yn y geg fel tân gwyllt.

Pysgod mwy?

Ymhellach i'r gogledd o afon Fraser mae un o rannau mwyaf prydferth y byd, sef Alasga. Yno, gyda'r tymheredd yn disgyn i -40°C ar adegau, mae'r bobl wedi gorfod addasu eu ffordd o fyw a'u ffordd o hela am fwyd er mwyn dygymod â'r tywydd eithafol. Morfil yw un o brif fwydydd pobl Alasga. Cofiwch, yr unig forfil welais i pan o'n i ar daith cwch yno oedd y morfil balwga. Drwy lwc, dyw'r bobl ddim yn cael bwyta cig y balwga oherwydd ei fod yn fath prin iawn o forfil.

Ar lan y môr

Mae moroedd Cymru'n gyfoethog gan fwyd môr, yn enwedig felly bae Ceredigion. Mae'r ardal honno hefyd wedi bod yn enwog iawn am ei môr-ladron dros y blynyddoedd, gan fod yr holl ogofâu a'r traethau bach ar hyd a lled y bae yn ddelfrydol ar gyfer cuddio.

Dychmygwch, felly, y sioc a gefais o weld y llong yma'n hwylio'r tonnau tra o'n i'n pysgota ym mae Ceredigion ryw ddiwrnod ar fy mhen fy hun.

Aaaaa! Môr-ladron!

Tipyn o granc

Crancod ffres bae Ceredigion yw un o fwydydd gorau'r byd. Wedi eu dal nhw, beth sy'n well na'u coginio nhw?

Cranc Hei Ho Mr Mungo

2 letysen Cos
1 pwys (500g) o gig cranc gwyn
4 owns (100g) o nwdls tryloyw *(glass noodles)*
1 llwy de o arlleg wedi ei falu
1 pecyn o goriander ffres wedi ei falu
1 llwy fwrdd o bast sinsir
1 bwnshyn o shibwns *(spring onions)* wedi eu torri'n fân
Halen a phupur gwyn i roi blas

Dull

* Rhowch y nwdls mewn sosban o ddŵr berw a'u coginio nes eu bod yn dyner. Peidiwch â'u gorgoginio neu byddan nhw'n caledu.
* Draeniwch y dŵr berw a thaenwch ychydig o ddŵr oer dros y nwdls a'u draenio eto.
* Mewn powlen, paratowch y cig cranc, gan ei falu'n ddarnau â'ch dwylo a gofalu nad oes darnau o gragen yn gymysg â'r cig.
* Ychwanegwch halen a phupur at y cig cranc i roi mwy o flas.
* Ychwanegwch y garlleg, y coriander, y sinsir a'r shibwns a chymysgwch y cyfan.
* Ychwanegwch y nwdls a chymysgwch yn ysgafn eto.
* Trefnwch y cig a'r nwdls y tu mewn i ddail y letys Cos.
* Mwynhewch!

TIP TOP!
Dwi'n dwlu gwneud dresin chilli melys i fynd gyda'r saig yma.

Www! Mae'n Chilli!

1 pwys (500g) o chilli coch (wedi eu paratoi a'u hollti)
8 owns (200g) o siwgwr
¾ peint (400ml) o ddŵr
2 lwy ford o finegr gwin gwyn

Dull

* Rhowch y cynhwysion mewn sosban a'u berwi am 20-25 munud.
* Ar ddiwedd y cyfnod hwn, rhowch y dresin mewn jar jam a'i adael i oeri.
* Wedyn, rhowch glawr ar y jar a'i storio yn yr oergell nes bydd ei angen.

Y DWYRAIN PELL

Cefais gyfle i ddysgu llawer iawn am fwydydd y Dwyrain Pell tra o'n i ar daith i Hong Kong a Japan. Un o'r ryseitiau mwyaf blasus i mi ddod ar ei thraws yno oedd un ar gyfer cawl corgimwch. Cofiwch, mae'n gweithio lawn cystal yng Nghymru!

TIP TOP!

Fe allen i ddefnyddio corgimychiaid cyffredin ein gwlad ni i wneud y cawl yma hefyd. Ond, cofiwch beidio â bwyta gormod ohonyn nhw cyn hedfan mewn hofrenydd dros Hong Kong, fel y gwnes i. Ych a fi!!!

Corgimwch Wes Wes

1 pwys (400g) o gorgimychiaid teigr amrwd (*raw tiger prawns*) wedi eu paratoi
3 sialotsyn (*shallot*) wedi eu torri'n fân
1 ewin garlleg wedi ei falu
1 llwy de o bast sinsir ffres
1 llwy fwrdd o saws pysgodyn Tsieineaidd
1 llwy de o bast chilli melys
1 pecyn o ddail coriander ffres wedi eu torri'n fân
1 llwy fwrdd o saws soi golau
1 goes o lemwnwellt (*lemon grass*) wedi ei dorri'n fân
1 pupur coch wedi ei dorri'n fân
2 beint (1.2l) o stoc pysgodyn
Sudd 1 leim
Sudd 1 lemwn
2 owns (50g) o fadarch Shitake wedi eu sleisio
Halen a phupur gwyn i roi blas

Dull

* Rhowch y stoc pysgod mewn sosban a'i ferwi gyda'r sialóts, y garlleg, y lemwnwellt a'r pupur.
* Ychwanegwch sudd y leim a'r lemwn i'r sosban gyda'r holl gynhwysion eraill, heblaw'r corgimychiaid.
* Coginiwch y cyfan am 2 funud arall.
* Ychwanegwch ychydig o halen a phupur at y corgimychiaid cyn eu rhoi nhw hefyd yn y sosban.
* Coginiwch am 8-10 munud arall.
* Gweinwch mewn powlen gawl gydag ychydig o ddail coriander i addurno.
* Mwynhewch!

Mae hyd yn oed cogyddion Hong Kong yn cael amser sbâr i grwydro weithiau!

Bonsai i ti hefyd, mêt!

Cacennau Eog o'r Dwyrain Pell

> TIP TOP!
> Os nad oes blawd reis gyda chi yn y cwpwrdd, beth am ddefnyddio blawd plaen?

2 lwy de o olew llysiau
2 lwy de o olew sesame
2 sialotsyn (*shallots*) wedi eu torri'n fân
2 lwy de o bast cyrri Thai coch
8 owns (200g) o datws potsh (*mashed potato*)
10 owns (250g) o gig eog wedi ei goginio, heb y croen a'r esgyrn
1 owns (25g) o goriander ffres gan gynnwys y dail a'r coesau
2 owns (40g) o flawd reis
1 wy mawr wedi ei guro
2-3 owns (50-75g) o friwsion bara ffres

Dull

* Cynheswch y ffwrn i 200ºC, marc nwy 6.
* Cynheswch yr olew mewn sosban fach a choginiwch y sialóts nes iddyn nhw feddalu ychydig.
* Rhowch y sialóts, y past cyrri, y tatws potsh, yr eog a'r coriander ffres mewn prosesydd bwyd a'u cymysgu nes eu bod yn llyfn.
* Rholiwch y gymysgedd yn beli bach cyn eu gwasgu'n fflat a'u rholio yn y blawd.
* Rhowch y cacennau eog yn yr oergell am hanner awr cyn eu rholio yn y gymysgedd wy a'r briwsion bara.
* Coginiwch y cacennau yn y ffwrn mewn tun fflat wedi ei iro am ryw hanner awr, neu nes iddyn nhw ddechrau troi'n euraidd a chrensiog.
* Gweinwch gyda saws chilli melys neu hufen sur.
* Mwynhewch!

LLYNCU POPETH

Dwi'n bendant o'r farn mai'r ffordd orau o ddysgu coginio yw trwy wylio eraill wrthi. Mae hynny hefyd yn wir am un o 'niddordebau eraill i, sef ceir a gwaith mecanig. Dwi'n dal i ryfeddu at stori Babs, y car unigryw hwnnw a dorrodd record cyflymder y byd ar draeth Pentywyn yn 1927. Does dim amheuaeth mai fy nhad a daniodd y diddordeb hwnnw ynof i, wedi iddo yntau fod yn gwylio ewythr iddo, sef Jack Jenkins, Llwynbrain, yn mynd trwy'i bethau.

Nawr, roedd Jack yn dipyn o gymeriad. Cafodd y syniad rhyfedd un tro ei fod e'n mynd i adeiladu awyren allan o bren a darnau hen injans ceir a Landrovers. A wir i chi, fe lwyddodd i wneud hynny erbyn 1943, ar ôl blynyddoedd o waith yn ei garej ar sgwâr pentref Porthyrhyd. Er gwaethaf y propelar pren â'r geiriau *Look out Hitler, here I come* wedi eu peintio arno, fe gododd yr awyren i'r awyr mewn cwmwl o fwg. Ond er cystal mecanig oedd Jac, doedd e ddim yn arbenigwr ar hedfan. Wedi croesi lled dau gae, fe blymiodd yr awyren i'r ddaear yn ddigon diseremoni. Ond fe wnaeth Jac oroesi cofiwch – wedi ymweliad bach â'r ysbyty!

Dyna pam mae'n well gyda fi sticio at goginio. A dyma rysáit fach arall i chi felly fel teyrnged i Jac ac i beirianwyr fel J. G. Parry-Thomas, dyfeisydd Babs.

Cibabs Babs

1 pwys (500g) o gig eog wedi ei dorri'n giwbiau modfedd o faint
16 corgimwch teigr *(tiger prawns)* wedi eu paratoi
12 owns (350g) o gig maelgi *(monkfish)*
8 cragen fylchog ffres *(scallops)*
1 corbwmpen *(courgette)* wedi ei thorri'n ddarnau
2 bupur coch wedi eu plicio a'u torri'n sgwariau modfedd o faint
4-5 coes lemwnwellt *(lemon grass)*
1 llwy fwrdd o bast sinsir ffres
2 becyn o goriander ffres wedi ei falu
2 lwy ford o saws soi golau
1 cwpan o stoc pysgodyn
1 llwy fwrdd o olew sesame
2 owns (50g) o fenyn
Halen a phupur i roi blas

TIP TOP!
Peidiwch â phoeni os nad yw'r cynhwysion hyn gyda chi i gyd - defnyddiwch beth bynnag sy'n gyfleus.

Dull

* Gan ddefnyddio'r coesau lemwnwellt fel coesau cibabs, sgiwiwch y bwyd môr at ei gilydd am yn ail â'r corbwmpen a'r pupur.
* Rhowch y cibabs mewn dysgl wedi iro sy'n addas i'r ffwrn gan ychwanegu'r coriander, y soi a'r stoc ynghŷd â'r halen a'r pupur yn ôl yr angen.
* Ysgeintiwch (*sprinkle*) â menyn a rhowch ffoil dros y cyfan.
* Coginiwch yn y ffwrn am 15-20 munud ar 170°C, marc nwy 3.
* Gwnewch yn siŵr bod y cibabs wedi coginio'n iawn cyn eu tynnu allan o'r ffwrn a'u gweini.
* Berwch y sudd sydd ar ôl yn y ddysgl, a'i dewhau drwy ddefnyddio ychydig o flawd corn a dŵr wedi eu cymysgu.
* Coginiwch ar wres uchel am 2 funud arall nes i'r blawd corn goginio drwyddo.
* Arllwyswch dros y cibabs a'u gweini.
* Mwynhewch!

TIP TOP!
Falle y bydd eisiau defnyddio sgiwer i greu tyllau ar gyfer y coesau lemwnwellt.

Bara Brioche Bant-â-ni

1 pwys (500g) o flawd plaen cryf
½ owns (10g) o halen
½ owns (10g) o siwgwr
½ owns (10g) o furum
6 owns hylifol (150ml) o laeth
3 wy
1 melynwy
6 owns (150g) o fenyn wedi ei dorri'n giwbiau bach

Dull

* Cynheswch y llaeth a thoddwch y burum a'r siwgwr ynddo.
* Ychwanegwch y cynhwysion eraill i gyd, heblaw'r menyn, a'u cymysgu i ffurfio toes.
* Rhowch liain dros y toes a'i roi mewn man sych a chynnes am awr, nes iddo ddyblu mewn maint.
* Tylinwch (*knead*) y toes gan ychwanegu'r menyn.
* Gadewch i'r toes ddyblu mewn maint unwaith eto am ryw awr arall.
* Rhannwch y toes yn ddau ddarn.
* Gwnewch siâp sylindr â'r ddau ddarn a'u gosod mewn tuniau torth ar wahân.
* Gadewch y toes yn y tuniau mewn man sych a chynnes am awr, nes iddo ddyblu mewn maint eto.
* Pan fydd y toes yn barod, pobwch y ddwy dorth ar silff ganol y ffwrn am tua 30 munud ar 210°C, marc nwy 6.
* Tynnwch y torthau allan o'r ffwrn a gadael iddyn nhw oeri yn y tuniau cyn eu bwyta.
* Mwynhewch!

Haf

Mae tymor yr haf yn dymor ardderchog i gasglu bwyd môr a hefyd i dyfu a chwilota am wahanol bethau yn yr ardd.

Mae chwilio am gocos yn waith caled!

COCOS PENCLAWDD

Mae chwilio am gocos ar hyd yr arfordir ym Mhenclawdd bob amser yn hwyl yn ystod misoedd yr haf. Yma mae cocos gorau'r byd! Llond sosban ohonyn nhw wedu eu berwi mewn dŵr a halen ac yna ychydig bach o finegr drostyn nhw ar blât, dyna beth yw pryd o fwyd i'r brenin! Mmmmm!

Os daw'r cranc 'na'n agosach, fe fydd e dros 'i ben mewn sosban cyn iddo droi rownd!

Aaaaa!
Fy nghefn i!

Ac ar ôl yr holl ymdrech, dim ond llond llaw ges i!

Cyfrinach Ynysoedd Penclawdd

12 owns (350g) o fwyd môr cymysg wedi ei dorri'n fân (beth bynnag sydd ar gael)
6 owns (175g) o flawd codi
2 wy
¼ peint (120ml) o laeth braster llawn
4 owns (100g) o fenyn
Croen 1 lemwn wedi ei dorri'n fân
1 winwnsyn wedi ei dorri'n fân
1 ewin garlleg wedi ei dorri'n fân
Llond dwrn o fasil ffres wedi ei dorri'n fân
Halen a phupur i roi blas

Dull

* Mewn powlen, cymysgwch yr wyau a'r blawd i greu past trwchus.
* Ychwanegwch y llaeth yn raddol a chymysgwch y cyfan i greu cytew *(batter)* trwchus.
* Ychwanegwch y basil a chymysgwch yn dda.
* Rhowch y cytew yn yr oergell am ryw 5 munud cyn ei ddefnyddio.
* Toddwch 1 owns (50g) o'r menyn mewn padell ffrio drom.
* Ychwanegwch y winwnsyn a'r garlleg.
* Ychwanegwch y bwyd môr cymysg a ffrio'r cyfan yn ysgafn am 2 funud.
* Ychwanegwch y croen lemwn at y gymysgedd bwyd môr a thynnwch y cyfan oddi ar y gwres.
* Yn y cyfamser, irwch (*grease*) dun cacen neu dun cacennau bach â menyn.
* Cynheswch y tun yn y ffwrn nes i'r menyn ddechrau troi'n frown.
* Tynnwch y cytew o'r oergell a'i arllwys i'r tun menyn poeth hyd at hanner ffordd i fyny'r ochr.
* Ychwanegwch y bwyd môr at gynnwys y tun nes bod lefel y cytew'n cyrraedd rhyw dri chwarter y ffordd i fyny'r ochr.
* Rhowch y tun yn y ffwrn a'i goginio ar 245°C, marc nwy 9 am 7 munud.
* Gwnewch yn siŵr bod y gymysgedd yn codi drwy sbecian drwy ddrws gwydr y ffwrn neu drwy led-agor y drws am eiliad.
* Unwaith i'r cytew goginio drwyddo, tynnwch allan o'r tun a'i weini'n syth gyda salad.
* Mwynhewch!

Morlas a Chelog o fae Sir Benfro

Un o'r gwyliau bwyd dwi'n edrych ymlaen ati fwyaf bob blwyddyn yw Ffair Bysgod Sir Benfro. Bryd hynny, fe fyddaf i a sawl chef arall yn mynd allan i bysgota ar y môr cyn dod 'nôl i'r lan a choginio'r holl bysgod r'yn ni wedi eu dal, o flaen cynulleidfa yn Theatr y Dorch yn Hwlffordd.

Mae pysgod fel y morlas (*pollock*) a'r celog (*coley*) yn gyffredin iawn yn y moroedd o gwmpas sir Benfro ac yn ddelfrydol ar gyfer seigiau o bob math.

Eog neu Ddi-eog Tywi

1 ffiled eog *(salmon)* o'r Tywi
4 owns (100g) o fenyn
½ winwnsyn wedi ei dorri'n fân
2 owns (50g) o fara lawr *(laverbread)*
Llond dwrn o gocos *(cockles)* a chregyn gleision *(mussels)* Cymreig
2 fadarchen fach *(button mushrooms)* wedi eu sleisio
1 ewin garlleg
1 mesur o sieri sych
1 sleisen o gig moch wedi ei fygu
1 mesur o fartini sych
1 llwy de o daragon
1 llwy de o sudd lemwn
Halen a phupur

TIP TOP!
Gellwch ddefnyddio sewin hefyd ar gyfer y saig hon, neu eog o unrhyw afon arall yng Nghymru!

Dull

* Cynheswch y ffwrn i 200°C neu farc nwy 6.
* Torrwch ddarn o ffoil a'i osod yn fflat ar y bwrdd. Rhowch y ffiled eog yn y canol gyda hanner y menyn, y sudd lemwn, y taragon, yr halen, y pupur a'r martini.
* Plygwch y ffoil yn barsel a thorrwch dwll bach ynddo fel bod lle i'r stêm ddianc.
* Rhowch y parsel yn y ffwrn.
* Yn y cyfamser, ffrïwch y winwns, y garlleg, y cig moch a'r madarch yn y menyn sy'n weddill.
* Ychwanegwch y cocos, y cregyn gleision a'r sieri, gan gynhesu'r hylif ddigon i gael gwared â'r alcohol.
* Ychwanegwch y bara lawr a chymysgu'r cyfan yn drwyadl tan i'r gymysgedd ferwi.
* Ychwanegwch yr halen a'r pupur.
* Ar ganol plât glân, rhowch lwyaid o'r gymysgedd bwyd môr.
* Rhowch yr eog ar y top ac ychwanegwch ychydig o sudd lemwn a'r hylif sydd ar ôl yn y parsel cyn gweini.
* Mwynhewch!

TIP TOP!
Bydd angen oedolyn i helpu gyda'r alcohol...ond bydd hwnnw wedi diflannu'n llwyr wrth goginio!

Draenog y môr

Un o'r pysgod mwyaf cyffredin ym mae Caerfyrddin yn ystod yr haf yw draenog y môr *(sea bass)*. Mae'n bosibl dal y bwyd ardderchog yma'n hawdd â gwialen ac abwyd o'r lan neu o gwch. Yn yr haf mae'r pysgod yma'n casglu at ei gilydd mewn grwpiau enfawr i fagu a dyna'r amser gorau i bysgota.

Wedi cyrraedd adre'n saff gyda digon o bysgod i bawb!

Ar Bigau'r Draenog

1 ffiled draenog y môr
2 owns (50g) o fenyn
1 llwy de o hadau winwns du
½ llwy de o arlleg wedi ei falu'n fân
½ llwy de o ddil
Bresychen werdd wedi ei thorri'n fân
Siwgwr brown meddal
2 beint (900ml) o olew llysiau
Halen a phupur du

TIP TOP!
Os yw draenog y môr yn rhy bigog i chi, trïwch ddefnyddio cig rhyw bysgodyn arall sy'n apelio atoch chi.

Dull

* Coginiwch ffiled draenog y môr mewn padell ffrio gyda'r croen i lawr nes ei fod yn euraidd.
* Ychwanegwch y garlleg a'r hadau winwns du.
* Trowch y gwres i lawr ac ychwanegwch y dil gan ffrio'r cyfan yn araf.
* Yn y cyfamser, mewn sosban arall, cynheswch yr olew llysiau gan ychwanegu'r bresych i'r olew poeth yn ofalus iawn.
* Ffriwch y bresych nes eu bod yn grensiog ac yna'u tynnu o'r gwres gan gael gwared ag unrhyw olew sydd dros ben.
* Ychwanegwch y siwgwr brown i'r bresych poeth a chymysgwch yn drwyadl.
* Gosodwch y gwymon (bresych) ar blât glân gan roi'r ffiled draenog y môr ar ei ben.
* Taenwch ychydig o'r menyn sydd ar ôl yn y badell ffrio drosto.
* Gweinwch ar unwaith.
* Mwynhewch!

Siytni Papaya a Sinsir

2 bwys (1kg) o papaya, wedi tynnu'r hadau a'u torri'n giwbiau
4 owns (100g) o bast sinsir ffres
1 ewin garlleg
1 peint (450ml) o finegr gwin gwyn
1 llwy de o halen
14 owns (400g) o siwgwr

TIP TOP!
Beth am Siytni bach yn gwmni i'r draenog?

Dull

* Rhowch yr holl gynhwysion mewn sosban drom a dod â'r cyfan i'r berw. Berwch y cyfan am awr ar wres cymhedrol nes iddo dewhau a dechrau troi'n ludiog.
* Tynnwch y sosban o'r gwres a gadael i'r gymysgedd oeri am awr.
* Wedi i'r siytni oeri, rhowch mewn potiau jam glân, cynnes.
* Cadwch y siytni yn yr oergell â'r caead yn dynn nes bydd angen ei ddefnyddio.
* Mwynhewch!

Torbwt a hanner

TIP TOP!
Mae mecryll byw neu lyswennod tywod yn dda i ddal draenogod môr o gwch.

Cranc neu lug sydd orau i'w defnyddio fel abwyd byw o'r lan.

Mae dull troelli'n ffordd boblogaidd iawn i ddal draenogod y môr, oherwydd eu bod nhw'n hoffi bwyta unrhyw beth sy'n edrych fel pysgod bach llachar.

COLOMENNOD!

Mae rhai'n hoff o rasio colomennod neu o'u cadw fel anifeiliaid anwes. Ond i eraill, yn enwedig ffermwyr a garddwyr, mae colomennod a sguthanod yn gallu bod yn bla. Falle nad 'ych chi wedi meddwl am fwyta cig adar o'r fath, ond wir i chi, mae'n fwyd gwerth ei brofi.

Yn ystod yr haf mae cig colomennod a sguthanod ar ei orau. Dyma pryd mae'n blasu'n felys oherwydd yr holl wenith, barlys a llafur sydd ar gael yn y caeau cyn y cynhaeaf. Erbyn yr hydref a'r gaeaf, mae'r cig yn troi'n fwy cryf ei flas oherwydd bod yr adar bellach yn bwyta mwy o ffrwythau.

Aaaaa! Colomennod!

Reit drosta i!

Does ond un peth amdani...
colomen i swper!

Ar Adain Chorizo

Cig 4 sguthan *(pigeon)* wedi eu bwydo ar farlys
2 ewin garlleg
1 winwnsyn mawr
2 bupur coch mawr
1 owns (25g) o o domatos heulsych *(sun dried)*
5 owns (150g) o domatos ffres
3 llwy fwrdd o olew olewydd
½ selsigen chorizo
8 owns (225g) o reis basmati
10 owns hylifol (300ml) o stoc cyw iâr
6 owns hylifol (180ml) o win gwyn sych
1 llwy de o bast tomato
½ llwy de o baprica
1 llwy de o berlysiau wedi eu torri'n fân
½ oren mawr wedi ei dorri'n ddarnau
2 owns (50g) o olifau *(olives)*
Halen a phupur i roi blas

TIP TOP!
Mae croeso i chi ddefnyddio 4 brest cyw iâr os na fydd yna sguthanod yn digwydd hedfan heibio!

Dull

* Ysgeintiwch (*sprinkle*) o halen a phupur dros y cig sguthan.
* Sleisiwch y pupur coch yn stribedi.
* Paratowch y winwns a'u sleisio'n stribedi yr un peth â'r pupur.
* Draeniwch y tomatos a'u sychu â lliain glân.
* Cynheswch 2 lwy fwrdd o'r olew olewydd mewn padell ffrio ac ychwanegwch y cig sguthan a'i selio ar wres canolig.
* Cyn gynted ag y bydd y cig wedi dechrau troi'n frown, tynnwch o'r badell ffrio a'i adael i ddraenio ar blât o bapur meddal.
* Ychwanegwch weddill yr olew olewydd i'r badell ffrio a'i gynhesu i wres uwch na chanolig.
* Ychwanegwch y winwns a'r pupur a'u coginio am ryw 5 munud nes eu bod yn dechrau troi'n frown.
* Nawr ychwanegwch y garlleg, y chorizo a'r tomatos a'u coginio nes eu bod yn troi'n frown.
* Ychwanegwch y reis a'i droi nes ei fod wedi ei orchuddio â'r olew.
* Ychwanegwch y stoc, y past tomato a'r paprica a berwi'r gymysgedd yn araf.

* Coginiwch y reis nes ei fod yn feddal, ond cofiwch ychwanegu mwy o stoc yn ôl yr angen i'w atal rhag sychu.
* Cyn gynted ag y bydd y reis wedi coginio, ychwanegwch y perlysiau cymysg, yr oren a'r olifau a chymysgu'r cyfan.
* Nawr, ychwanegwch y cig sguthan a'i goginio ar wres isel am 7 munud gyda chlawr ar y badell ffrio.
* Gweinwch fel saig boeth, neu'n oer gyda salad.
* Mwynhewch!

YR EIDAL

Pasta, pasta a mwy o basta! Dyna beth gewch chi i'w fwyta os digwydd i chi fynd ar daith i'r Eidal. A beth sy'n fwy blasus na llond powlen o basta ffres syml?

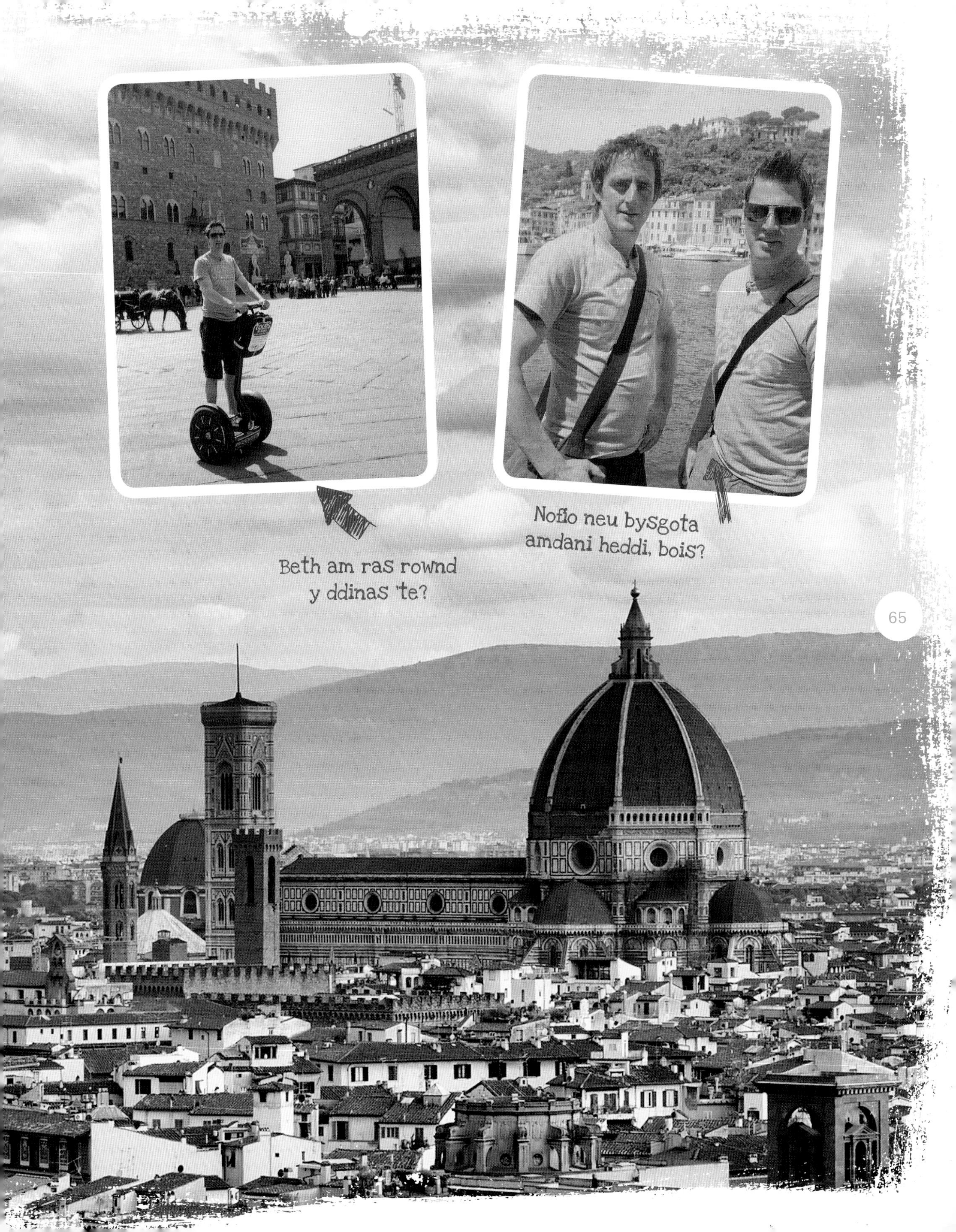
Nofio neu bysgota amdani heddi, bois?
Beth am ras rownd y ddinas 'te?

Pasta Perffaith Mama Mia

2 bwys 4 owns (1kg) o flawd cryf
10-12 wy mawr (maint 3)
2 lwy fwrdd o olew olewydd
1 llwy fwrdd o hufen
1 llwy fwrdd o dyrmerig

Dull

* Defnyddiwch beiriant cymysgu â bachyn neu brosesydd bwyd i gymysgu'r cynhwysion at ei gilydd i greu toes cadarn a llyfn. Cofiwch ddechrau gyda 10 wy, gan ychwanegu'r ddau arall os oes angen.
* Ar ôl ffurfio'r toes, rhowch gling ffilm drosto a'i adael am o leiaf awr cyn ei ddefnyddio. Mae'n bosibl ei gadw yn yr oergell dros nos os yw wedi ei orchuddio'n iawn.

TIP TOP!

Os ydych chi'n defnyddio prosesydd bwyd, bydd rhaid i chi wasgu'r toes at ei gilydd ar y bwrdd. Cofiwch roi digon o flawd cyn dechrau, rhag ofn i'r toes lynu wrtho. Cofiwch hefyd orchuddio'r toes yn dda rhag iddo sychu a chaledu.

Nwdls Pasta

1 mesur o Basta Perffaith Mama Mia

Dull

* Torrwch ddarn maint stecen syrlwyn o does pasta a'i rolio allan yn hir un ffordd.
* Defnyddiwch beiriant pasta i greu'r nwdls.
* Gosodwch y peiriant ar y man mwyaf trwchus ar gyfer y rholiad cyntaf, gan ddefnyddio digon o flawd i rwystro'r toes rhag glynu wrth y peiriant.
* Defnyddwch y trydydd gosodiad (*setting*) gyntaf ac yna'r gosodiad olaf ond un ar gyfer nwdls tagliatelle.
* Gan ddefnyddio digon o flawd ar y toes a'r peiriant o hyd, rholiwch y toes drwy'r torrwr nwdls.
* Rhowch y nwdls i sychu am ryw dair awr drwy eu hongian yn rhywle cyfleus. Cofiwch adael gofod rhwng y nwdls er mwyn i'r aer allu cyrraedd atyn nhw, ac i'w rhwystro rhag glynu wrth ei gilydd.

TIP TOP!
Fe allech chi ddefnyddio'r nwdls yn syth drwy eu rhoi nhw mewn sosban o ddŵr berw yn hytrach na'u gadael i sychu.

Pasta'r Glöwr

1 pupur gwyrdd
1 pupur coch
1 pupur melyn
2 sialotsyn (*shallot*) wedi eu torri
1 ewin garlleg wedi ei falu
1 bwnshyn bach o shibwns *(spring onions)*
1 pwys (500g) o orgimychiaid *(prawns)* wedi rhewi
1 llwy fwrdd o bast chilli melys
1 tomato bîff wedi ei blicio a'i dorri'n giwbiau
2 lwy fwrdd o olew olewydd
Halen a phupur i roi blas

Dull

* Rholiwch y pasta drwy'r gosodiad *(setting)* linguine mân.
* Coginiwch y nwdls mewn dŵr berw am 1-2 funud. Fe fyddan nhw'n coginio'n sydyn iawn os ydyn nhw'n ffres.
* Cynheswch yr olew olewydd mewn padell ffrio.
* Ychwanegwch y sialóts, y garlleg, y pupur a'r tomatos.
* Cadwch y gwres yn uchel ac ychwanegwch y corgimychiaid a'r shibwns.
* Ychwanegwch y nwdls ac ychydig halen a phupur.
* Mwynhewch!

Salad Eidalaidd

3 letysen Cos
4 llwy fwrdd o ddresin Cesar
12 crŵton bara garlleg
3 owns (75g) o gaws Gorgonzola wedi ei dorri'n giwbiau
1 pupur coch wedi ei sleisio
1 pupur gwyrdd wedi ei sleisio
1 pupur melyn wedi ei sleiso
12 tomato bach
12 sleisen o ham Parma
2 owns (50g) o gaws Parmesan ffres wedi gratio
12 siafin o gaws Parmesan ffres
Pupur du ffres

Dull

* Golchwch y letys a'u torri yn hanner.
* Cymysgwch y letys gyda'r caws Parmesan wedi gratio.
* Trefnwch yr ham Parma a'r tomatos o gwmpas plât gweini mawr.
* Gosodwch lond llaw o letys ar ganol y plât.
* Trefnwch y crŵtons a'r tri math o bupur o gwmpas y letys.
* Nawr gosodwch y siafins o gaws Parmesan o gwmpas y salad.
* Ychwanegwch ychydig bach o bupur du ffres.
* Mwynhewch!

TIP TOP!
Mae'r dresin yma'n fendigedig gyda Salad Eidalaidd!

Dresin Sinsir Sbesial

1 pwys (500g) o sinsir ffres
1 pwys (500g) o gnau almwn wedi eu sleisio a'u rhostio
3 lemwn neu leim ffres

Dull

* Pliciwch y sinsir a'i dorri'n ddarnau mân.
* Cymysgwch y sinsir a'r sudd lemwn neu leim a'i roi yn yr oergell.
* Gweinwch gyda salad.
* Mwynhewch!

Gwaith digon
anodd yw bod
yn ymerawdwr,
wyddoch chi!

TIP TOP!
Mae Dresin Coron Cesar yn ddelfrydol ar gyfer unrhyw salad yn y gwanwyn neu'r haf.

Dresin Coron Cesar

2 wy
½ peint (275ml) o olew olewydd
½ peint (275ml) o olew salad
1 llwy de o fwstard Dijon
5 diferyn o saws Caerwrangon *(Worcester sauce)*
5 diferyn o saws Tabasco
Sudd ½ lemwn
2 ewin garlleg wedi eu malu
3 ffiled ansiofi *(anchovy)*
2 lwy ford o finegr gwin gwyn
2 owns (50g) o gaws Parmesan ffres wedi gratio
Halen a phupur i roi blas

Dull

* Rhowch yr holl gynhwysion, heblaw'r caws, mewn prosesydd bwyd.
* Cymysgwch y cyfan nes ei fod o ansawdd mayonnaise.
* Ychwanegwch y caws Parmesan ac ychydig halen a phupur i roi blas.
* Mwynhewch!

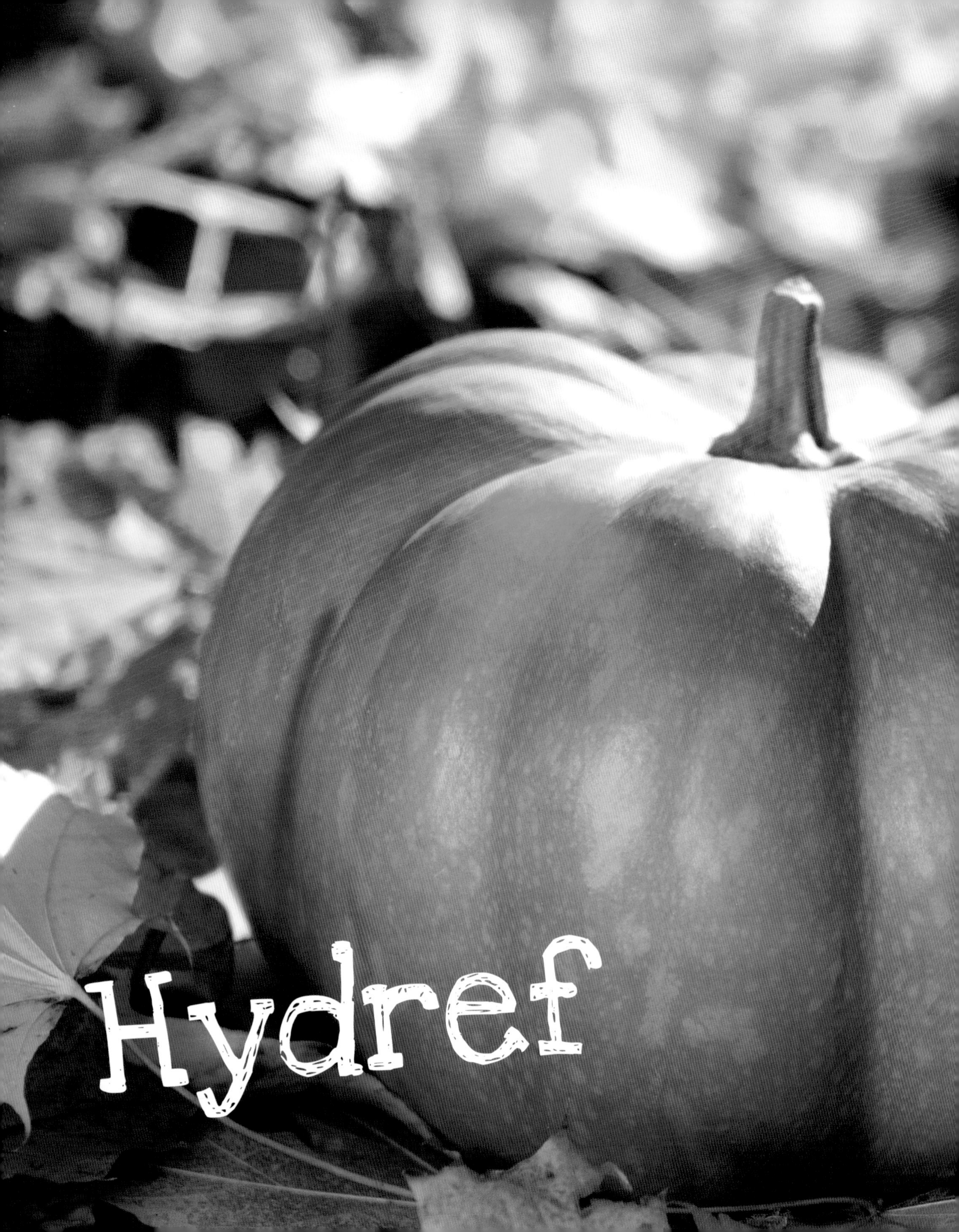

Hydref

Tymor o lawnder bwyd yw'r hydref. Mae'n dymor y cynhaeaf a thymor medi ffrwythau a llysiau. Ac yn ffodus hefyd, mae yna ddigon o achlysuron yn y calendr sy'n esgus i drio ambell rysáit fach wahanol.

CALAN GAEAF

Pwmpen Rala gyda Ffritar Rwdlan

11 owns (310g) o gnawd pwmpen wedi ei dorri'n giwbiau 2cm
8 owns (225g) o datws wedi eu plicio a'u torri'n giwbiau 2cm
8 owns (225g) o datws melys wedi eu plicio a'u torri'n giwbiau 2cm
2 domato wedi eu torri'n ddarnau
1 llwy fwrdd o olew olewydd
2 sbrigyn o rosmari wedi eu torri'n ddarnau
½ llwy de o halen môr
3 wy
½ cwpan o hufen
½ cwpan o laeth
1 ewin garlleg wedi ei dorri'n fân
½ cwpan o gaws Parmesan wedi gratio
2 owns (50g) o fenyn
Halen a phupur i roi blas

Dull

* Cynheswch y ffwrn i 200°C, marc nwy 6.
* Rhowch y bwmpen, y tatws i gyd, y tomatos, yr olew a hanner y rhosmari mewn dysgl addas ar gyfer y ffwrn.
* Irwch (*grease*) dun cacennau bach 12 twll â'r menyn.
* Cymysgwch y cyfan a'i goginio yn y ffwrn am 20 munud neu nes y bydd y llysiau wedi coginio a meddalu.
* Mewn powlen, cymysgwch yr wyau, yr hufen, y llaeth, y garlleg, y caws, yr halen, y pupur a gweddill y rhosmari at ei gilydd.
* Ychwanegwch y gymysgedd pwmpen, tatws a thomatos.
* Arllwyswch y gymysgedd i mewn i'r tun cacennau a'i goginio yn y ffwrn am 30-35 munud o 180°C, marc nwy 4.
* Gweinwch yn syth o'r ffwrn.
* Mwynhewch!

Mae angen codi ysbryd pawb adeg Calan Gaeaf, felly dyma saig ddelfrydol i gael gwared â phob ellyll a bwci bo!

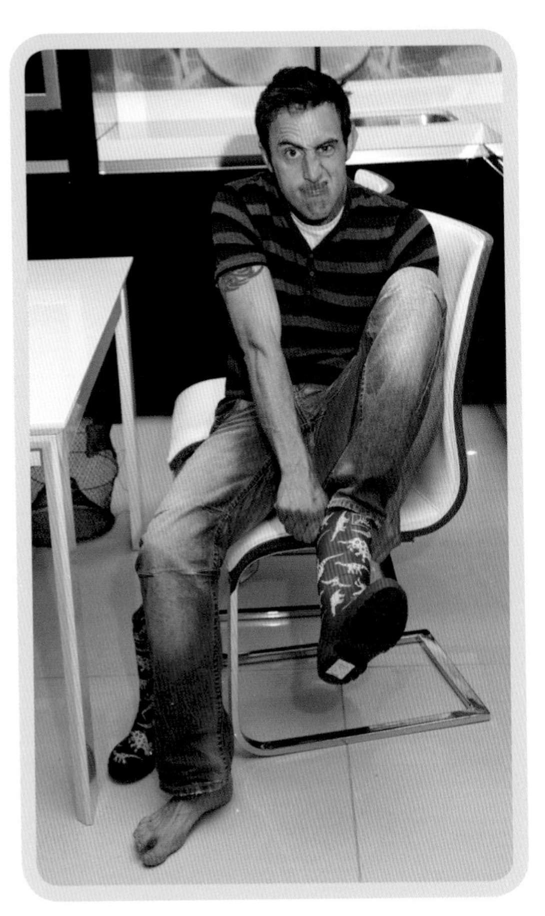

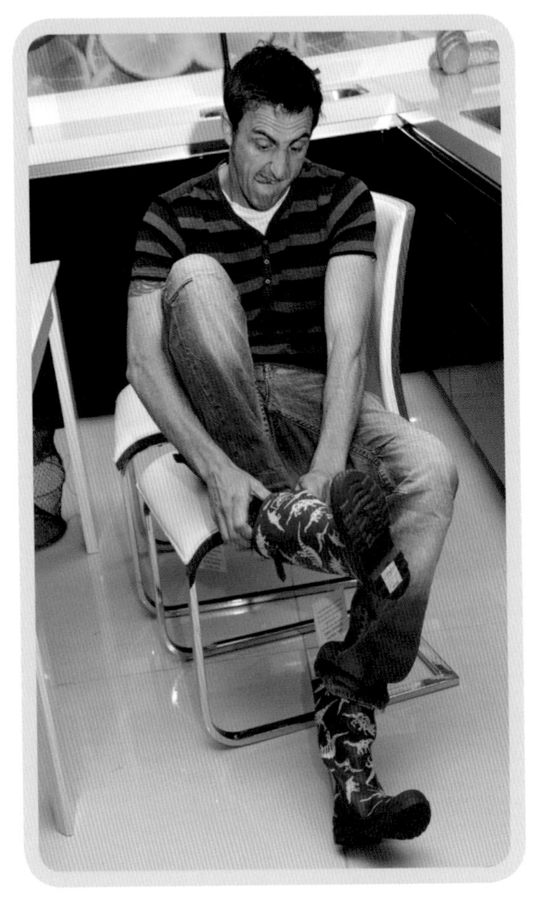

Weli-wel-wel!

TIP TOP!
Gadewch i'r cig orffwys... hi'n haws ei dorri.

1½ pwys (600-800g) o ffiled cig eidion heb frasder
14 owns (300-400g) o grwst pwff (*puff pastry*)
2½ owns (75g) o fenyn
4 llwy fwrdd o olew llysiau
1 wy wedi ei guro
2 owns (50g) o flawd plaen
8 owns (200g) o fadarch bach (*button mushrooms*) wedi eu torri'n fân
1 winwnsyn bach
1 ewin garlleg wedi ei dorri'n fân
2 becyn o ham Parma
Halen a phupur i roi blas

Dull

* Cynheswch y ffwrn i 250°C, marc nwy 9.
* Rhowch ychydig o halen a phupur ar y cig.
* Rhowch ychydig olew a menyn mewn padell ffrio a'u cynhesu.
* Rhowch y cig yn y badell ffrio a'i goginio am ryw 5 munud bob ochr nes iddo ddechrau troi'n frown. Bydd y cig yn dal yn weddol binc y tu mewn.
* Wedi gwneud hynny, tynnwch y cig o'r badell ffrio a'i osod naill ochr am ychydig.
* Malwch y madarch, y garlleg a'r winwnsyn gyda'i gilydd i greu stwffin.
* Rholiwch y crwst pwff i drwch o 5mm a'i orchuddio â ham Parma.
* Rhowch haen o stwffin dros yr ham.
* Wedyn, rhowch y ffiled o gig eidion ar ben yr ham a'r stwffin gan wneud yn siŵr ei fod yn cael ei osod ar ganol y crwst pwff.
* Gorchuddiwch y ffiled yn dda â'r stwffin.
* Tynnwch y darnau ham Parma dros y ffiled gan wneud yn siŵr eich bod yn ei orchuddio i gyd.
* Tynnwch y crwst pwff dros y parsel ffiled i greu parsel arall rownd y cig, gan drimio unrhyw grwst dros ben. Defnyddiwch ychydig o'r gymysgedd wy i wneud yn siŵr bod y crwst yn glynu wrth ei gilydd yn iawn.
* Rhowch y ffiled mewn dysgl addas ar gyfer y ffwrn, gan wneud yn siŵr bod y rhan lle mae'r crwst yn cwrdd ar y gwaelod.
* Brwsiwch weddill y gymysgedd wy dros weddill y crwst gan ddefnyddio brwsh bach addas.
* Pobwch yng nghanol y ffwrn gynnes am 35 munud.
* Tynnwch y ddysgl o'r ffwrn unwaith y bydd y crwst wedi troi'n euraidd.
* Rhennwch yn ddarnau a gweini.
* Mwynhewch!

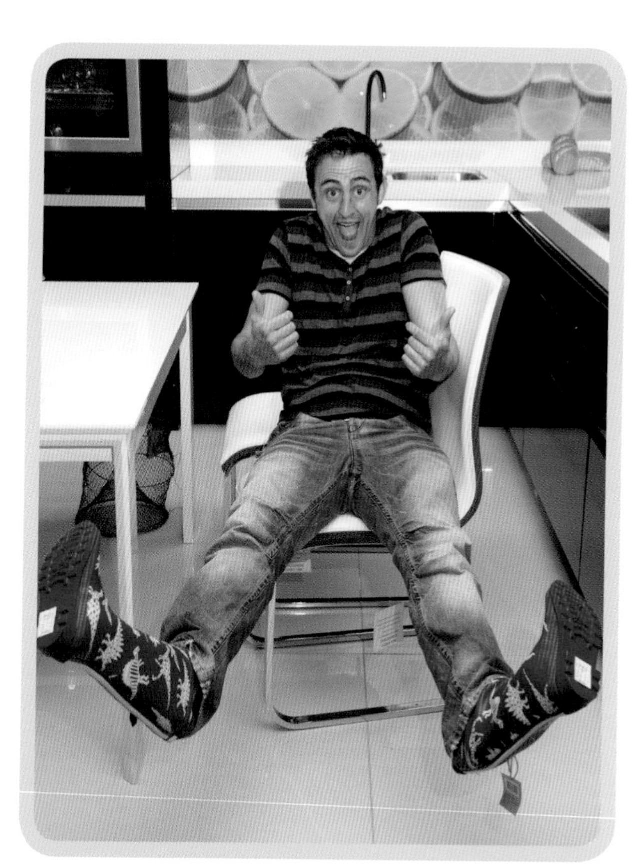

Dwmplen Shwt Ma'r Porcyn

8 owns (200g) o gig porc wedi ei falu
8 owns (200g) o gorgimychiaid wedi eu glanhau a'u torri'n ddarnau
1 winwnsyn mawr wedi ei dorri'n fân
Darn 3cm o sinsir wedi ei dorri'n fân
1 llwy fwrdd o saws soi
1 llwy fwrdd o win reis sake (*rice wine*)
1 llwy de o olew sesame
2 lwy de o flawd corn
¼ llwy de o halen
¼ llwy de o bupur du wedi ei falu
16 papur wonton (*wonton wrappers*)

TIP TOP!
Defnyddiwch gig hwyaden neu gyw iâr os yw hynny'n haws. Dylai 2 frest o gig fod yn ddigon.

Dull

* Mewn powlen, cymysgwch yr holl gynhwysion, heblaw'r papurau wonton, yn drwyadl.
* Codwch lond llwy de o'r gymysgedd i ganol pob un o'r papurau wonton.
* Gwlychwch ymylon y papurau wonton gyda dŵr a gwasgwch ochrau'r papurau at ei gilydd i greu siâp pelen.
* Rhowch olew ar waelod padell ffrio neu fasin stemio.
* Rhowch y dwmplenni yn y badell ffrio neu'r stemiwr am ryw 6-8 munud neu nes i'r llenwad goginio drwyddo ac i'r papurau wonton feddalu.
* Draeniwch a gweini'n syth.
* Mwynhewch!

TIP TOP!
Os oes well gyda chi ddwmplenni crensiog, coginiwch nhw mewn padell ffrio ddofn gyda digon o olew.

Dip Dansierys

2 lwy fwrdd o saws soi golau
2 lwy fwrdd o olew sesame
2 lwy fwrdd o finegr reis Siapaneaidd mirin
1 llwy de o goriander wedi ei falu
1 chilli coch heb yr hadau

TIP TOP!
Beth am drio dip bach syml gyda'r dwmplenni?

Dull

* Rhowch yr holl gynhwysion mewn powlen a'u cymysgu'n dda.
* Rhowch mewn dysgl lân cyn gweini gyda'r dwmplenni.
* Mwynhewch!

Maen nhw'n dweud fod moch yn debyg iawn i bobol!

Lwcus nad yw pawb yn drewi yr un peth!

MOROCO

Nawr, yn wahanol i'r rhan fwyaf ohonoch chi, dwi wedi profi cig madfall! Dyma un o'r bwydydd rhyfedd a gefais i ar un o 'nheithiau tramor, y tro hwn yn gweithio ar raglen i S4C allan ym Moroco, Gogledd Affrica.

Lan ym mynyddoedd yr Atlas.
Gobeithio fod rhywun yn
gwybod y ffordd nôl lawr!

Crème Brûlée Crand

5 melynwy
¾ peint (425ml) o hufen dwbwl trwchus iawn
4 owns (100g) o siwgwr mân
1 goden fanila gyfan ffres *(whole fresh vanilla pod)*
Croen 1 oren wedi ei dorri'n fân
Sudd ½ oren
Ychydig o siwgwr brown

Dull

* Cynheswch yr hufen, y siwgwr a'r sudd oren mewn sosban drom.
* Cyn gynted ag y bydd yr hufen yn dod i'r berw, ychwanegwch hadau'r goden fanila drwy hollti'r goden ar ei hyd. Gadewch i'r hadau ddisgyn o'r goden i'r hufen.
* Ychwanegwch groen yr oren.
* Pan fydd y fanila a'r croen oren wedi eu cymysgu'n dda drwy'r hufen ac wedi dod i'r berw unwaith eto, trowch y gwres lawr i fan canolig.
* Mewn powlen, curwch y melynwy nes i'r gymysgedd droi'n felyn golau.
* Nawr, ychwanegwch yr hufen poeth yn araf i'r melynwy gan chwisgio'r cyfan yn gyflym a chaled.
* Cyn gynted ag y bydd yr hufen a'r wyau wedi eu cymysgu'n drwyadl, rhowch y gymysgedd nôl yn y sosban a chynhesu'r cyfan eto ar wres isel.
* Daliwch ati i chwisgio'n drwyadl, gan gyrraedd gwaelod y sosban hefyd.
* Cadwch lygad ar y gymysgedd wrth chwisgio ar wres isel, rhag i'r cyfan ddechrau edrych fel wyau wedi eu sgramblo.
* Cyn gynted ag y bydd y chwisg yn gadael ôl yn y gymysgedd, tynnwch y sosban oddi ar y gwres.
* Cofiwch ddal ati i chwisgio!
* Arllwyswch y gymysgedd i botiau bach neu ramekins, a'u gadael yn yr oergell i oeri a thewhau.
* Ysgeintiwch *(sprinkle)* ychydig o siwgwr brown dros y top.
* Mwynhewch!

TIP TOP!
Mae orennau
Moroco gyda'r
mwyaf blasus
yn y byd!

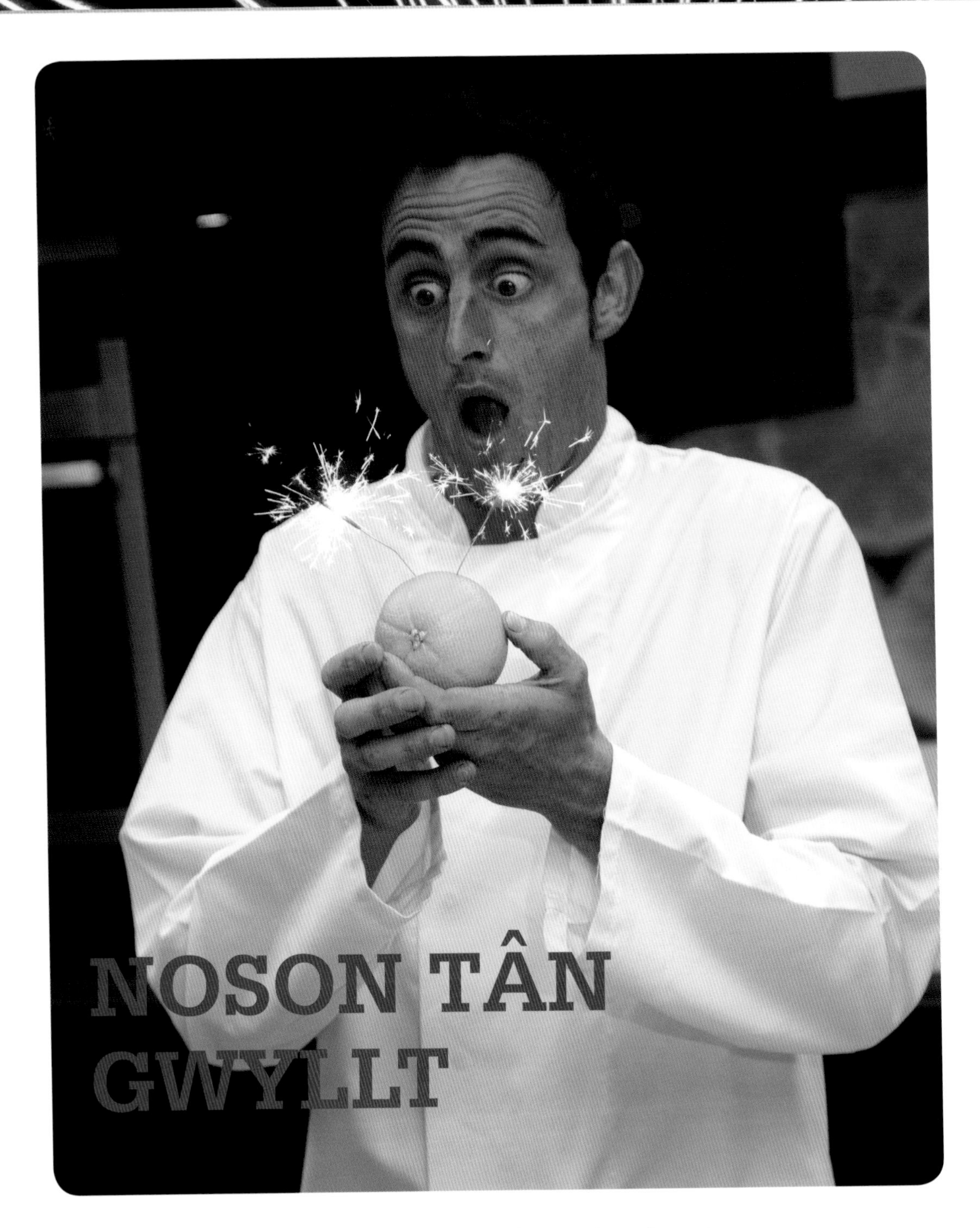

NOSON TÂN GWYLLT

Dyma adeg y flwyddyn pan fydd y sbarcs i gyd yn tasgu, felly beth am drio'r rysáit ganlynol er mwyn diddori pawb.

Oren Guto Ffowc

1 oren
2 owns (50g) o fenyn
½ peint (240ml) o hufen chwipio
8 owns (200g) o siwgwr mân
2 sbarcler

TIP TOP!
Mae hon yn rysáit danllyd, felly cymerwch ofal!

Dull

* Torrwch dop yr oren i ffwrdd a chrafu'r ffrwyth tu mewn allan i gyd, gan geisio cadw'r oren mor gyfan â phosibl.
* Gan ddefnyddio cyllell finiog, torrwch y ffrwyth drwy ddilyn llinellau'r segmennau.
* Rhowch y menyn mewn sosban gyda'r siwgwr brown.
* Coginiwch y menyn a'r siwgwr nes ffurfio caramel llyfn yn y sosban.
* Rhowch y segmennau oren yn y caramel a choginiwch ar wres isel am 20 eiliad.
* Llenwch y croen oren gwag â'r gymysgedd caramel ac oren cyn ei roi yn yr oergell am ychydig.
* Chwipiwch yr hufen gyda'r siwgwr mân nes iddo dewhau.
* Peipiwch yr hufen dros y llenwad caramel yn yr oren.
* Gwthiwch y ddau sbarcler i ochrau'r oren cyn ei weini.

Pei Shwt-ti-bei Ant

2-3 dalen o grwst ffilo (*filo pastry*)
½ pwys (200g) o fadarch botwm gwyllt
2 winwnsyn mawr wedi eu torri'n fân
1 genhinen wedi ei thorri'n fân
2 owns (50g) o fenyn
2 owns (50g) o bersli ffres
1 wy wedi ei guro
1 ewin garlleg
Hadau pabi neu sesame i addurno

TIP TOP!
Mae'r Saws Slic yma braidd yn danllyd hefyd, felly gwell cael tipyn o HEEEEELP!

Dull

* Ffrïwch y winwns, y madarch, y genhinen, y garlleg a'r persli yn y menyn nes iddyn nhw feddalu.
* Ychwanegwch ddigon o halen a phupur.
* Rhowch y gymysgedd mewn tun fflat i oeri am 10 munud.
* Taenwch y gymysgedd mewn rhesi, nid mewn un talpyn mawr, ar 2 neu 3 dalen o grwst ffilo.
* Brwsiwch y gymysgedd wy ar hyd ymylon y crwst ffilo, yna rholio'r cyfan fel carped.
* Brwsiwch ragor o'r gymysgedd wy dros y crwst ffilo a'i addurno â hadau pabi neu sesame.
* Rhowch y cyfan mewn dysgl addas ar gyfer y ffwrn a choginio am 20-25 munud ar 200°C, marc nwy 6.
* Mwynhewch!

Saws Slic

1 owns (25g) o fenyn
1 winwnsyn bach wedi ei dorri'n fân
2 owns (50g) o fadarch bach gwyllt (*wild button mushrooms*)
1 mesur o win madeira
¼ peint (275ml) o hufen dwbwl
Halen a phupur

Dull

* Rhowch y menyn mewn padell ffrio a choginio'r winwnsyn am funud.
* Ychwanegwch dipyn o winwnsyn a ffrio am funud.
* Ychwanegwch y madarch a'r madeira, ond byddwch yn ofalus rhag i'r madeira danio.
* Ychwanegwch yr hufen a'i godi i'r berw.
* Ychwanegwch dipyn bach o halen a phupur.
* Gweinwch y saws gyda thafell go lew o'r Pei Shwt-ti-bei.
* Mwynhewch!

Bara Tri Chaws

TIP TOP!
A dyma'r bara gorau i fwyta gyda'r Pei Shwt-ti-bei, bois bach!

Toes bara syml Ant – gweler tudalen 48
2 winwnsyn canolig wedi eu torri'n fân a'u meddalu
3 owns (75g) o gaws Parmesan wedi gratio
5 owns (125g) o gaws Gruyère wedi gratio
4 owns (100g) o gaws Cheddar wedi gratio
Pinsiaid o hadau carwe (*caraway*)

Dull

* Wrth wneud y toes, ychwanegwch y winwns i'r blawd, yr wyau, y menyn a'r halen a'i adael i godi am awr mewn man sych a chynnes.
* Wedi i'r toes godi, rhowch 'nôl yn y cymysgwr neu curwch e â'ch dwylo ar fwrdd glân, gan gymysgu'r caws a'r hadau carwe iddo yr un pryd.
* Gosodwch y toes mewn tun torth neu ei ffurfio'n rholiau.
* Coginiwch fel arfer gan ganiatáu 5 munud ychwanegol er mwyn coginio'n iawn.
* Gweinwch yn gynnes neu'n oer.
* Mwynhewch!

TIP TOP!

Bydd y caws yn blasu'n gryfach pan fydd y bara'n oer.

Bara Lawr Beti Bwt

4 owns (100g) o fara lawr (*laverbread*)
2 owns (50g) o gocos (*cockles*)
2 owns (50g) o gregyn gleision (*mussels*)
2 owns (50g) o orgimychiaid wedi eu glanhau (*peeled prawns*)
2 owns (50g) o ham Caerfyrddin
2 owns (50g) o fadarch wedi eu sleisio
1 owns (25g) o fenyn
¼ winwnsyn wedi ei dorri'n fân
1 ewin garlleg
1 llwy fwrdd o sieri sych

Dull

* Toddwch y menyn mewn sosban fach a ffrïwch y winwnsyn, y garlleg, y madarch a'r bwyd môr i gyd, heblaw am y bara lawr.
* Pan fydd y cyfan wedi coginio, ychwanegwch y sieri i greu flambé.
* Pan fydd yr alcohol wedi ei losgi i gyd, ychwanegwch y bara lawr a'i goginio am 5 munud, gan droi'r gymysgedd o waelod y sosban â llwy.
* Gweinwch yn boeth ar ddarn o dost.
* Mwynhewch!

Gaeaf

GWLAD YR IÂ

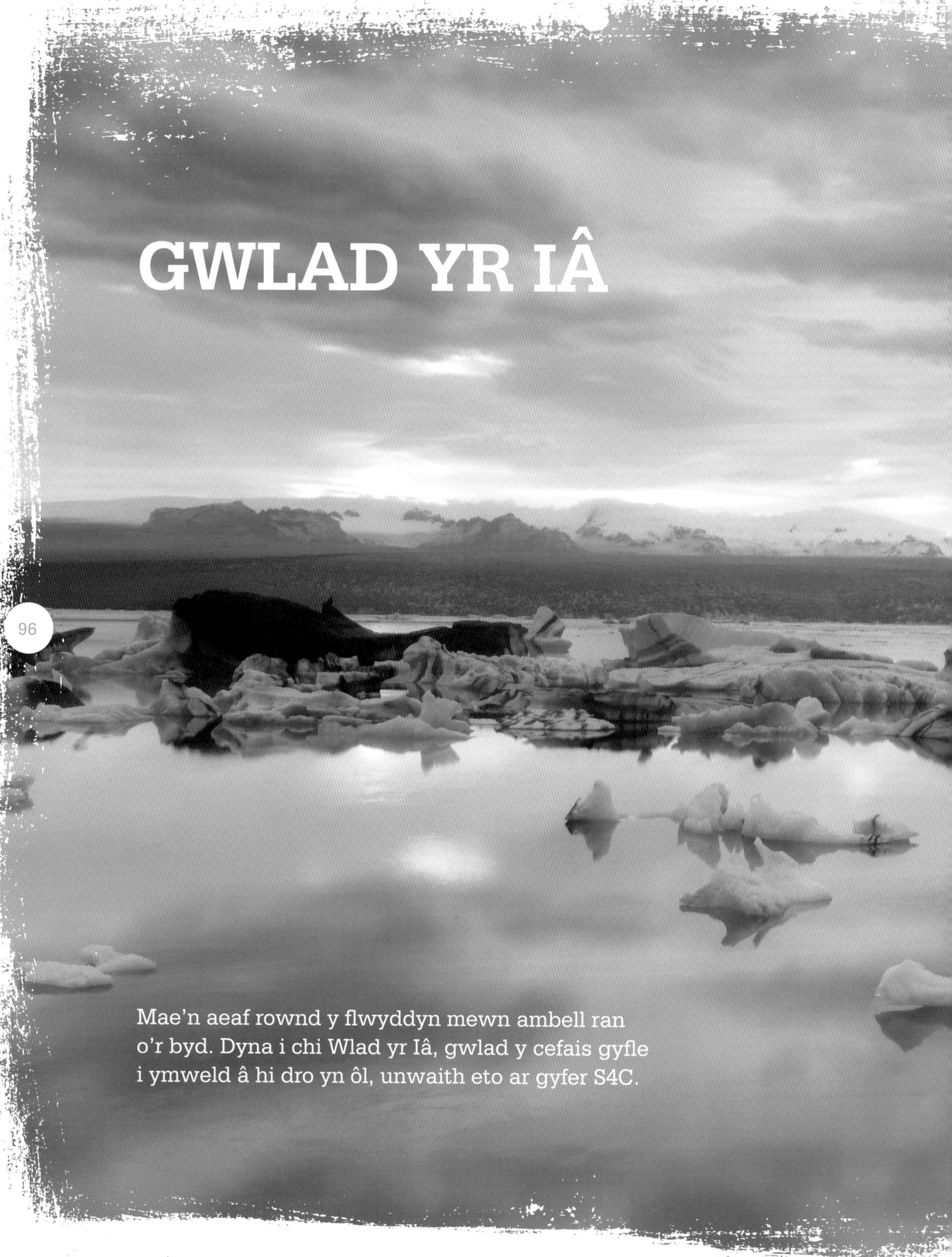

Mae'n aeaf rownd y flwyddyn mewn ambell ran o'r byd. Dyna i chi Wlad yr Iâ, gwlad y cefais gyfle i ymweld â hi dro yn ôl, unwaith eto ar gyfer S4C.

Brrrr! Mae'n oer!

Nawr, os 'ych chi'n meddwl 'mod i'n hoff o fwyd mentrus, felly hefyd trigolion Gwlad yr Iâ. Mae'n ddigon cyffredin gweld seigiau yn cynnwys cig pâl (*puffin*), cig gwylog (*guillemot*), cig morfil a chig siarc ar y fwydlen yno.

Blasu fel pysgod y mae cig yr adar yma, ac mae'r cig morfil yn blasu felly hefyd, er ei fod yn edrych yn debycach i ddarn o gig eidion gwaedlyd. Mae'r siarc yn cael ei hela yn ystod misoedd yr haf ond yn cael ei gladdu wedyn mewn tywod poeth am rai misoedd a'i fwyta yn ystod y gaeaf. Fel y gellwch chi ddychmygu, mae drewdod y cig ar ôl bod drwy'r broses honno'n anhygoel! Ro'n i, hyd yn oed, yn cael trafferth ofnadwy i'w fwyta. Roedd yn ddigon i droi eich stumog! Lwcus bod gan fy nghyfaill ar y daith honno, Alun Williams, ddigon o dabledi at bob peth yn ei fag bach moddion. Wir i chi, mae e fel fferyllfa ar ddwy goes ar adegau felly!

Bath cyn mynd i'r gwely yn nŵr twym y Blue Lagoon.

Dyw pawb ddim yn hoff o'r gaeaf, ond i mi, fel heliwr a chogydd o Gymro, mae'n dymor delfrydol. Dyma dymor yr helfwyd sydd mor gyfoethog ym mhob rhan o'r wlad. Os cewch chi gyfle, mentrwch a phrofwch, da chi!

Mae hela'n rhan allweddol o fywyd cefn gwlad ac mae popeth dw i'n ei ddal drwy hela yn cael ei fwyta a'i ddefnyddio. Creulondeb llwyr yw hela er mwyn sbort a sbri.

Un o'r cigoedd dw i'n ei hoffi fwyaf yn ystod y gaeaf yw cig y gwningen wyllt. Does dim llawer o fraster ar y cig yma, felly mae'n iach i'w fwyta – yn enwedig mewn cawl. Cefais hyfforddiant arbennig gan fy nhad pan o'n i'n grwt ifanc ynglŷn â sut i hela cwningod â ffered, ci a rhwyd, a hynny cyn symud ymlaen i ddysgu defnyddio dryll a saethu. Mae dysgu techneg gywir yn hollbwysig i bawb sydd eisiau dechrau hela, heb sôn am ddod i adnabod y wlad a'r tir o'ch cwmpas.

Dyw hi ddim yn bosib hela heb ffrind bach ffyddlon

Mae mynd â chwmni gyda chi i hela hefyd yn syniad da. Dyna i chi heliwr ffyrnig yr olwg yw'r Brychan Llŷr 'na!

Stori fach

Bob penwythnos pan o'n i'n ifanc, byddwn yn dal bws naw o'r gloch o sgwâr pentref Gorslas ac yn mynd lawr at berthnasau ym Mhorthyrhyd gyda 'nghi a'm ffered, gan ddychwelyd ar fws pump y prynhawn, yn drewi o fwd ac ambell gwningen fyddwn i wedi ei dal. Er gwaetha'r drewdod fferm, y ci, y ffered ac ambell edrychiad od, chefais i erioed unrhyw drafferth ar y daith...heblaw am un tro.

Y diwrnod hwnnw roedd rhyw hen wraig fach wedi gofyn i mi am gael gweld Bob, y ffered. Felly dyma fi'n tynnu hwnnw allan o'i focs ac yn ei ddangos iddi. Ond wrth i mi ei roi yn ei chôl, dyma'r wraig yn cael ofn ac yn cynhyrfu Bob. Rhedodd hwnnw lawr rhwng coesau'r wraig ac ar hyd llawr y bws i'r seddau cefn, lle roedd criw o bobl ifanc yn eistedd. Dyna pryd y dechreuodd y sgrechian a'r halibalŵ!

'Stopiwch y bws!' oedd y gri o'r cefn. 'Llygoden! Mae 'na lygoden ar y bws!'

Felly, dyma'r bws yn dod i stop a sawl teithiwr yn neidio oddi arno ar ras, wrth i minnau fynd ar 'y nghwrcwd i geisio cael gafael ar Bob.

Chwarae teg i'r gyrrwr, fe ddaeth e i helpu chwilio. Ond wyddai e ddim bryd hynny fod Bob wedi dianc i'w sedd ac wedi codi ei goes a gwneud ei fusnes arni! O diar!

TIP TOP!
Os byth er ewch chi â ffered ar fws, peidiwch â'i ddangos i neb!

Cwacer o beth!

1 frest hwyaden
1 owns (25g) o ddail sbigoglys (*spinach leaves*)
1 owns (25g) o gaws gafr Cymreig
1 owns (25g) o foron wedi malu
2 owns (50g) o siwgwr brown
3 owns (75g) o fenyn
1 mesur o bort
3 owns (75g) o fwyar duon neu ffrwythau gwyllt
2 owns (50g) o flawd
6 sialotsyn wedi eu sleisio
1 ewin garlleg
¼ peint (150ml) o stoc hwyaden
Croen un oren
2 lwy fwrdd o olew olewydd
Dŵr oer
Halen a phupur i roi blas

Dull

* Cynheswch y ffwrn i 180°, marc nwy 4.
* Gan ddefnyddio cyllell finiog, torrwch hollt yng nghanol y cig hwyaden er mwyn creu poced fach ar y tu mewn.
* Stwffiwch y dail sbigoglys i mewn i'r boced gyda'r caws gafr a'r moron.
* Clymwch y cig â chortyn er mwyn gwneud yn siŵr na fydd y stwffin yn dod allan wrth goginio.
* Defnyddiwch gyllell finiog i dorri rhychau yng nghroen y cig hwyaden.
* Rhowch y menyn mewn padell ffrio a choginio'r sialóts, y garlleg a chroen yr oren.
* Ychwanegwch y cig a'i selio nes ei fod yn troi'n lliw euraidd.
* Rhowch y cig mewn tun rhostio a'i ysgeintio ag 1 owns o'r siwgwr brown.
* Rhowch y tun yn y ffwrn am 15 munud gan gymryd cip ar y cig ar ôl 10 munud er mwyn gwneud yn siŵr nad yw'n coginio'n rhy sydyn.
* Ychwanegwch y mwyar duon neu'r ffrwythau gwyllt at gynnwys y badell ffrio a choginio'r gymysgedd am 2 funud arall.
* Ychwanegwch y stoc a gweddill y siwgwr a choginiwch ar wres uchel nes i'r gymysgedd leihau i'r hanner mewn cyfaint.
* Ychwanegwch y port a'i godi i'r berw.
* Mewn powlen ar wahân, cymysgwch y blawd a'r dŵr oer nes ei fod yn llyfn a llaethog.
* Ychwanegwch i'r stoc poeth yn raddol i greu jûs trwchus.
* Ychwanegwch ychydig halen a phupur i roi blas
* Gweinwch gyda'r parsel o frest hwyaden a llysiau rhost.
* Mwynhewch!

TIP TOP!
Cymerwch ofal gyda'r gyllell finiog a'r Sieri!

Cofiwch, mae'n rhaid i heliwr fod yn gyfrwys

...yn amyneddgar

...ac yn ddewr!

Cwningen Gorslas gyda Saws Dim Caws

1 gwningen wedi ei pharatoi
1 winwnsyn wedi ei dorri'n fân
1 ewin garlleg wedi ei dorri'n fân
1 llwy fwrdd o fwstard Dijon
2 owns o fenyn
¼ peint (150ml) o stoc llysiau
1 ddeilen llawryf (*bay leaf*)
Ychydig o sudd lemwn
½ peint (275ml) o hufen dwbwl trwchus
¼ peint (150ml) siampên neu win pefriog
Persli wedi ei dorri'n fân
Halen a phupur

Dull

* Cynheswch y ffwrn i 190°C neu farc nwy 5.
* Torrwch y gwningen yn olwythion (*joints*).
* Rhowch y menyn, y winwnsyn a'r garlleg mewn padell ffrio gyda'r darnau o gwningen a'u coginio nes bod y cig yn dechrau troi'n euraidd.
* Ychwanegwch y mwstard Dijon a'r siampên a'i goginio ar wres uchel nes bod yr hylif wedi lleihau i'r hanner.
* Ychwanegwch y stoc llysiau, y ddeilen llawryf a'r sudd lemwn.
* Trosglwyddwch y cynnwys i ddysgl addas ar gyfer y ffwrn.
* Coginiwch yn y ffwrn am 20 munud neu nes i'r sudd leihau i'r hanner eto.
* Tynnwch y ddysgl o'r ffwrn a'i gosod ar yr hob ar wres isel.
* Ychwanegwch yr hufen a'r persli a daliwch i gymysgu'n dda nes i'r saws ferwi.
* Ychwanegwch ddigon o halen a phupur a gweinwch gyda sglodion trwchus a berw dŵr wedi ei goginio'n ysgafn.
* Mwynhewch!

TIP TOP!

Beth am ddefnyddio cig hwyaden neu gyw iâr yn lle ffesant os yw hynny'n haws?

Gofynnwch i'ch cigydd lleol am gig cwningen yn hytrach na thrio cwrso Fflopsi drws nesa!

Petris Petrus

TIP TOP!
Defnyddiwch gig hwyaden neu gyw iâr os yw hynny'n haws. Dylai 6 brest o gig fod yn ddigon.

6 petrisen (*partridge*) wedi eu paratoi
1 llwy fwrdd o olew olewydd
3 ewin garlleg wedi eu malu
1 llwy de o fintys y graig (*marjoram*) wedi ei falu
½ llwy de o halen
½ llwy de o bupur
6 sleisen o gig moch
¾ cwpan o win madeira
¾ cwpan o win coch
¾ cwpan o stoc cyw iâr

Dull

* Cynheswch y ffwrn i 230°C, marc nwy 8.
* Mewn powlen, cymysgwch y mintys y graig, y garlleg, yr olew, yr halen a'r pupur.
* Rhwbiwch y gymysgedd dros y petris ar y tu allan a'r tu mewn.
* Rhowch sleisen o gig moch dros frest pob aderyn.
* Rhowch y petris mewn tun rhostio a'u coginio yn y ffwrn am 15 i 20 munud.
* Tynnwch y petris o'r ffwrn a'u gosod naill ochr.
* Rhowch y tun ar yr hob ar wres uchel ac ychwanegwch y gwin madeira, y gwin coch a'r stoc cyw iâr.
* Codwch y gymysgedd i'r berw gan ei throi'n gyson.
* Coginiwch am 7 i 8 munud nes i'r hylif leihau i ryw ½ cwpanaid.
* Draeniwch a chadwch yn gynnes.
* Rhowch y petris ar blât ac arllwys y saws drostyn nhw.
* Gweinwch gyda llysiau rhost, neu gyda'r rysáit nesaf.
* Mwynhewch!

Berw Dŵr Bril

TIP TOP!
Saig fach ddelfrydol ar gyfer unrhyw gig aderyn.

3 llwy fwrdd o olew cnau Ffrengig (*walnut oil*)
2 ewin garlleg wedi eu malu'n fân
20 cwpan o ferw dŵr wedi ei olchi
2½ llwy de o sudd lemwn
½ llwy de o halen
½ llwy de o bupur

Dull

* Mewn sosban fawr, cynheswch 2 lwy fwrdd o'r olew cnau Ffrengig wres cymedrol.
* Ychwanegwch y garlleg a choginiwch am ddwy funud gan droi'r gymysgedd yn gyson.
* Trowch y gwres i fyny'n uchel ac ychwanegwch y berw dŵr llaith.
* Coginiwch am 1 funud ac yna'i dynnu o'r gwres.
* Ychwanegwch yr olew sy'n weddill, y sudd lemwn, yr halen a'r pupur a'u cymysgu cyn gweini gydag unrhyw helgig.
* Mwynhewch!

TIP TOP!

Dyw cig cyffylog ddim ar gael ymhob siop, felly er mwyn gwneud pethau'n haws, triwch ddefnyddio cyw iâr neu gig hwyaden.

Credwch fi neu beidio, mae dail sbrowts wedi'u ffrio'n flasus iawn!

Cyffylog Clatsh Bang!

2 gyffylog (*woodcock*) wedi eu paratoi
¼ peint (150ml) o jin eirin (*sloe gin*)
2 owns o fenyn
1 winwnsyn coch
1 ewin garlleg wedi ei dorri'n fân
5 shibwnsyn (*spring onion*)
2 lwy de o fêl
3 owns (75g) o gig moch heb ei fygu a'i dorri'n ddarnau (*unsmoked bacon lardons*)
4 owns (100g) o sbrowts wedi eu glanhau
Halen a phupur i roi blas

Dull

* Rhowch y menyn mewn tun rhostio ar yr hob a ffrïwch y winwnsyn coch, y garlleg, y shibwns a'r cig moch nes bod y cyfan yn euraidd.
* Tynnwch ddail y sbrowts yn rhydd a'u ffrio yn y tun am 3 munud.
* Ychwanegwch y jin gan godi'r gymysgedd i'r berw.
* Rhowch glawr neu ffoil ar y tun a'i roi yn y ffwrn ar 220° C, marc nwy 6 am 15 munud.
* Wedi 15 munud, codwch ychydig o sudd yr adar o waelod y tun dros y cig.
* Rhowch y tun yn ôl yn y ffwrn am 20 munud arall i goginio heb ffoil na chlawr.
* Gweinwch y cig gyda holl gynnwys gwaelod y tun.
* Mwynhewch!

Cig Ffesant

Helfwyd poblogaidd arall yng Nghymru yw'r ffesant. Mae digon o ryseitiau blasus iawn i'w cael, felly beth am roi cynnig arni?

Ffesant Jac Llwynbrain

1 frest o gig ffesant
1 pwys (400g) o flawd plaen
6 melynwy o faint canolig wedi eu chwisgio
8 owns (200g) o friwsion bara
1 llwy de o fasil wedi ei falu
1 peint (470 ml) o olew llysiau
Halen a phupur

TIP TOP!
Dyma rysáit ar gyfer y rhai sy'n hoff o greu tipyn bach o annibendod wrth goginio!

Beth am ddefnyddio cig hwyaden neu gyw iâr yn lle ffesant os yw hynny'n haws?

Dull

* Rhowch yr olew mewn sosban a'i gynhesu nes yn boeth.
* Sleisiwch frest y ffesant yn stribedi hir trwchus.
* Rhowch y blawd mewn powlen.
* Mewn powlen arall eto, cymysgwch y briwsion bara a'r basil yn drwyadl.
* Rholiwch y darnau o gig ffesant yn y blawd gan ysgwyd unrhyw flawd diangen i ffwrdd.
* Rhowch y darnau cig yn y melynwy un ar y tro, cyn eu rholio yn y briwsion bara a'r basil, ac ysgwyd unrhyw friwsion diangen i ffwrdd.
* Yn ofalus iawn, rhowch bob darn o gig yn y sosban o olew poeth a'u coginio nes eu bod yn troi'n lliw brown ysgafn.
* Gweinwch fel cwrs cyntaf gyda Sglein Mwyar Duon.
* Mwynhewch!

Sglein Mwyar Duon

6 owns (150g) o fwyar duon
3 owns (75g) o siwgwr brown
¼ peint (150ml) o win coch
Croen 1 oren
Croen 1 lemwn
¼ owns (6g) o sinamon
2 owns (50g) o fenyn

Dull

* Rhowch y cynhwysion i gyd mewn sosban drom.
* Cynheswch tan yn ferw.
* Codwch i'r berw a choginiwch yn araf ar wres isel am ryw 10 munud.
* Gadewch y sglein i oeri am ychydig cyn ei arllwys dros y cig.
* Mwynhewch!

TIP TOP!
Mae'n werth trio'r Siytni yma gyda chig cyffylog hefyd. Blasus iawn!

Siytni Sionc

2 bwys (1kg) o afalau Bramley, wedi eu paratoi a'u torri'n giwbiau
2 bwys (1kg) o eirin sych (*prunes*)
2 bwys (1kg) o siwgwr demerara
2½ pwys (1.5l) o finegar brag (*malt vinegar*)
Pinsied o bupur cayenne
1 llwy de o halen
4 owns (100g) o sultanas
1 llwy ford o fwstard grawn cyflawn (*wholegrain mustard*)

Dull

* Mewn sosban fawr, cynheswch yr holl gynhwysion ar wres isel.
* Gadewch i'r gymysgedd fudferwi'n araf am tua awr, neu nes i'r ffrwythau feddalu.
* Tynnwch y sosban o'r gwres.
* Wedi i'r siytni oeri, rhowch mewn potiau jam glân, cynnes.
* Cadwch y siytni yn yr oergell gyda'r caead yn dynn nes ei ddefnyddio.
* Mwynhewch!

Geifr Gwyllt

Mae geifr gwyllt yn gyffredin iawn yng ngogledd Cymru. Ym mynyddoedd Eryri maen nhw i'w gweld yn pori ac yn achosi tipyn o drafferth i ffermwyr yr ardal drwy ddifetha'u muriau cerrig a bwyta glaswellt prin y defaid mynydd. Mae rheoli niferoedd y geifr yn waith pwysig felly.

Mae cig gafr yn cael ei fwyta ar hyd a lled y byd. O'i goginio'n araf, neu ei adael i farineiddio am ryw 48 awr ymlaen llaw, mae'n gig blasus dros ben.

TIP TOP!
Os nad yw cig gafr yn apelio atoch, beth am ddefnyddio cyw iâr?

Cyrri Rogan Josh Gwyllt

2 bwys (1kg) o ffiled gafr fynydd wyllt wedi ei dorri'n giwbiau
1 chilli sych fawr
Pinsiaid o saffrwn
4 llwy de o hadau coriander
Hadau 6 grawn Paradwys gwyrdd (*green cardamom pods*)
10 clof cyfan
10 pupren ddu (*black peppercorns*)
2 goes sinamon 5cm
4 llwy de o gnawd cneuen goco wedi ei falu (*dessicated coconut*)
½ llwy de o halen
2 owns (50g) o fenyn heb halen
1 owns (25g) o wraidd sinsir ffres wedi ei blicio a'i falu (*fresh root ginger*)
5 owns hylifol (150ml) o iogwrt naturiol
16 owns hylifol (500ml) o ddŵr
3 tomato wedi eu torri'n lletemau (*wedges*)
2 lwy de o goriander wedi ei falu i addurno

Dull

* Mwydwch (*soak*) y chili coch sych mewn chilli coch sych mewn ychydig o ddŵr berw.
* Mwydwch y saffrwn mewn 1 llwy de o ddŵr berw.
* Rhowch yr hadau coriander, y clofs, y puprennau a'r sinamon mewn padell ffrio drom. Coginiwch nhw dros wres isel am 5 munud, gan droi'r cyfan bob hyn a hyn, nes i'r hadau ddechrau neidio.
* Ychwanegwch y cnau coco a choginiwch am 1-2 funud eto nes i hwnnw ddechrau brownio.
* Gadewch i'r gymysgedd oeri cyn ychwanegu'r halen, a'r chilli wedi ei ddraenio.
* Malwch mewn malwr coffi neu defnyddiwch bestl a mortar nes bod y cyfan yn llyfn.
* Cynheswch y menyn mewn padell ffrio fawr a choginiwch y cig gafr ar wres uchel nes bod y ciwbiau wedi troi'n euraidd ar bob ochr. Dylai hyn gymryd rhyw 5 munud.
* Rhowch y cig gafr mewn dysgl addas ar gyfer y ffwrn.
* Ychwanegwch y sinsir a'r iogwrt a choginiwch y cig gafr yn araf am ryw 10 munud nes i'r hylif i gyd, heblaw'r menyn wedi toddi, gael ei amsugno.
* Ychwanegwch y gymysgedd sbeis a'r saffrwn mewn dŵr at y cig gafr a choginiwch ar wres cymedrol am 5 munud.
* Trowch y gymysgedd yn gyson ac ychwanegwch lond llwy de o'r dŵr wedi ei fesur bob munud i rwystro'r sbeis rhag glynu wrth waelod y ddysgl.
* Ychwanegwch weddill y dŵr, yna gorchuddiwch y ddysgl a choginio am awr, gan droi'r cyfan bob hyn a hyn.
* Ychwanegwch y tomatos a choginiwch yn araf am 5 munud nes iddyn
* nhw gynhesu ychydig.
* I weini, rhowch y cyfan mewn dysgl lân a thaenu'r dail coriander dros y top.
* Mwynhewch!

Bara Naan Anti Nan

¼ peint (120ml) o laeth
2 lwy fwrdd o siwgwr
1 owns (25g) o furum sych
1½ pwys (700g) o flawd plaen
½ llwy fwrdd o halen
1 llwy de o bowdwr pobi
2 lwy ford o olew llysiau
2 owns hylifol (125ml) o iogwrt naturiol
1 wy
1 ewin garlleg

Dull

* Toddwch y burum a'r siwgwr yn y llaeth.
* Ychwanegwch yr holl gynhwysion eraill a chymysgu'r cyfan i greu toes.
* Tylunwch (*knead*) y toes nes ei fod yn llyfn a'i adael mewn man sych a chynnes am awr.
* Pan fydd y toes wedi dyblu mewn maint, tylinwch eto a'i rannu'n 30 darn cyfartal eu maint.
* Ffurfiwch y darnau'n beli cyn eu rholio'n fflat i greu siapiau bara naan.
* Coginiwch ar radell ar yr hob nes bod y ddwy ochr yn euraidd drostyn nhw.
* Mwynhewch!

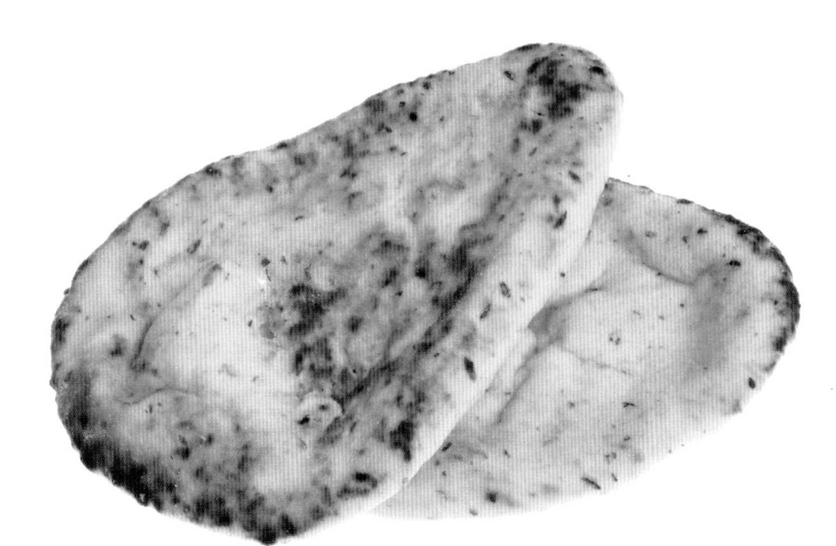

NADOLIG! NADOLIG!

Uchafbwynt tymor y gaeaf i'r mwyafrif ohonoch, dwi'n siŵr, yw'r Nadolig. Er mod innau wrth fy modd â'r tymor ewyllys da, fel arfer dwi'n brysur iawn ac yn gorfod gweithio dros yr ŵyl. A wir i chi, does dim yn waeth gyda fi na gorfod aros i'r twrci orffen coginio yn y ffwrn.

Ta Ta'r Twrci Tanllyd

2 bwys (1kg) o gig twrci wedi ei dorri'n giwbiau
2 winwsyn mawr wedi eu torri'n fân
2 ewin garlleg wedi eu malu
8 owns hylifol (250ml) o hufen sengl
4 llwy fwrdd o iogwrt naturiol
4 llwy fwrdd o gnau almon mâl
2 lwy de o bowdwr garam masala
1 llwy de o bowdwr cyrri
1 llwy de o bowdwr sinamon
1 llwy de o bowdwr saffrwn neu dyrmerig (*turmeric*)
2 lwy de o siwgwr

TIP TOP!
Os nad 'ych chi'n gallu aros am y twrci a'r trimins i gyd chwaith, beth am drio'r rysáit fach slic hon?

Dull

* Torrwch y winwns yn fân cyn eu rhoi mewn sosban o ddŵr berw.
* Coginiwch yn araf nes i'r winwns feddalu.
* Draeniwch y winwns a'u rhoi mewn powlen gyda'r garlleg, y garam masala, y powdwr cyrri, y saffrwn a'r sinamon.
* Cyfunwch y cynhwysion â chymysgwr llaw i greu past llyfn.
* Ffriwch y cig twrci yn y menyn nes iddo ddechrau troi'n frown a'i roi naill ochr am ychydig.
* Rhowch y cig i'r naill ochr am ychydig.
* Gan ddefnyddio'r un badell ffrio, ychwanegwch y gymysgedd winwns a choginio'r cyfan am 1 funud nes iddo droi'n euraidd.
* Cymysgwch y cnau almon i mewn yn drwyadl cyn coginio am 1 funud arall.
* Ychwanegwch y cig twrci a'r sudd gan gymysgu'n dda.
* Ychwanegwch yr iogwrt a'r hufen a choginio'r cyfan yn araf nes i'r saws droi'n felyn.
* Coginiwch yn araf am 10 munud.
* Ychwanegwch y siwgwr a choginiwch yn araf am 2 funud arall cyn gweini.
* Ho! Ho! Ho!

Diolch o galon i'r cwmnïoedd canlynol am eu help wrth gynhyrchu'r llyfr hwn.

Ant

Bwydydd Castell Howell Foods
Co-operative, Crosshands
Gower Salt Marsh Lamb
Gwendraeth Valley Fine Foods
Leekes, Crosshands
Raul Photography
West Wales Bacon, Crosshands

Nos da, ffrindiau!

Wel, gobeithio eich bod chi wedi dysgu llawer ac wedi cael cryn dipyn o hwyl wrth ddarllen y llyfr yma a choginio! Does dim rhyfedd mod i wedi blino ar ôl yr holl waith caled 'na.

Nawr, cofiwch o hyn ymlaen i fyw bywyd bwyd Ant!

Rhywbeth Bach at Ddant Pawb

Ryseitiau Cig

Ryseitiau Pysgod

Ryseitiau Llysieuol

Ryseitiau Ochr Plât

Ryseitiau Pwdin